수학 전문가가 만든 연산 교재

원리셈

20까지의 더하기 빼기 3

지은이의 말

수학은 원리로부터

수학은 구체물의 관계를 숫자와 기호의 약속으로 나타내는 추상적인 학문입니다. 이 점이 아이들이 수학을 어려워하는 가장 큰 이유입니다. 이러한 수학은 제대로 된 이해를 동반할 때 비로소 힘을 발휘할 수 있습니다. 수학은 어느 단계에서나 원리가 가장 중요합니다.

수학 교육의 변화

답을 내는 방법만 알아도 되는 수학 교육의 시대는 지나고 있습니다. 연산도 한 가지 방법만 반복 연습하기 보다 다양한 풀이 방법이 중요합니다. 교과서는 왜 그렇게 해야 하는지 가르쳐 주고 다양한 방법을 생각하도록 하지만, 학생들은 단순하게 반복되는 연습에 원리는 잊어버리고 기계적으로 답을 내다보니 응용된 내용의 이해가 부족합니다.

연산 학습은 꾸준히

유초등 학습 단계에 따라 4권~6권의 구성으로 매일 10분씩 꾸준히 공부할 수 있습니다. 원리와 다양한 방법의 학습은 그림과 함께 재미있게, 연습은 다양하게 진행하되 마무리는 집중하여 진행하도록 했습니다. 부담 없는 하루 학습량으로 꾸준히 공부하다 보면 어느새 연산 실력이 부쩍 늘어난 것을 알 수 있습니다.

개정판 원리셈은

동영상 강의 확대/초등 고학년 원리 학습 과정 강화 등으로 원리와 개념, 계산 방법을 더 쉽게 이해할 수 있도록 하고, 연습을 강화하여 학습의 완성도를 더했습니다.

학부모님들의 연산 학습에 대한 고민이 원리셈으로 해결되었으면 하는 바람입니다.

지은이 *천종현*

원리쌤의 특징

☑ 원리쌤의 학습 구성

한 권의 책은 매일 10분 / 매주 5일 / 6주 학습

☑ 원리쌤의 시나브로 강해지는 학습 알고리즘

키즈 원리쌤은

시작은 원리의 이해로부터, 마무리는 충분한 연습과 성취도 확인까지

☑ 체계적인 학습 구성

쉽게 이해하고 스스로 공부!
실수가 많은 부분은 별도로 확인하고 연습!
주제에 따라 실전을 위한 확장적 사고가 필요한 내용까지!
원리로 시작되는 단계별 학습으로 곱셈구구마저 저절로 외워진다고 느끼도록!

원리셈 전체 단계

 ## 키즈 원리셈

5·6 세

1권	5까지의 수
2권	10까지의 수
3권	10까지의 수 세어 쓰기
4권	모아 세기
5권	빼어 세기
6권	크기 비교와 여러 가지 세기

6·7 세

1권	10까지의 더하기 빼기 1
2권	10까지의 더하기 빼기 2
3권	10까지의 더하기 빼기 3
4권	20까지의 더하기 빼기 1
5권	20까지의 더하기 빼기 2
6권	20까지의 더하기 빼기 3

7·8 세

1권	7까지의 모으기와 가르기
2권	9까지의 모으기와 가르기
3권	덧셈과 뺄셈
4권	10 가르기와 모으기
5권	10 만들어 더하기
6권	10 만들어 빼기

 ## 초등 원리셈

1학년

1권	받아올림/ 내림 없는 두 자리 수 덧셈, 뺄셈
2권	덧셈구구
3권	뺄셈구구
4권	□ 구하기
5권	세 수의 덧셈과 뺄셈
6권	(두 자리 수)±(한 자리 수)

2학년

1권	두 자리 수 덧셈
2권	두 자리 수 뺄셈
3권	세 수의 덧셈과 뺄셈
4권	곱셈
5권	곱셈구구
6권	나눗셈

3학년

1권	세 자리 수의 덧셈과 뺄셈
2권	(두/세 자리 수)×(한 자리 수)
3권	(두/세 자리 수)×(두 자리 수)
4권	(두/세 자리 수)÷(한 자리 수)
5권	곱셈과 나눗셈의 관계
6권	분수

4학년

1권	큰 수의 곱셈
2권	큰 수의 나눗셈
3권	분모가 같은 분수의 덧셈과 뺄셈
4권	소수의 덧셈과 뺄셈

5학년

1권	혼합 계산
2권	약수와 배수
3권	분모가 다른 분수의 덧셈과 뺄셈
4권	분수와 소수의 곱셈

6학년

1권	분수의 나눗셈
2권	소수의 나눗셈
3권	비와 비율
4권	비례식과 비례배분

키즈 원리셈의 단계별 학습 목표

초등학교 입학 준비는 키즈 원리셈으로!!

키즈 원리셈 단계를 고를 때는 아이의 배경지식에 따라 아래의 학습 목표를 참고하세요.

● 5·6세 단계

수와 연산을 처음 접하는 아이들을 위한 단계
수를 익히고, 덧셈, 뺄셈을 이해
덧셈, 뺄셈 기호는 나오지 않지만, 덧셈, 뺄셈의 상황을 그림으로 제시
필기를 최소화 / 붙임 딱지 이용
매주 마지막 5일차에는 재미있게 사고력 키우기 "사고력 팡팡"

● 6·7세 단계

10까지의 수를 알지만 덧셈, 뺄셈을 처음 하는 아이들을 위한 단계
1에서 20까지의 수를 익히면서 더하기 빼기 1, 2, 3
수를 똑바로 세면 덧셈, 거꾸로 세면 뺄셈이라는 것을 이해하고 연산에 이용
수 세기를 먼저 배운 후, 같은 개념을 덧셈, 뺄셈에 적용
10이 넘어가는 덧셈도 받아올림을 하는 것이 아니라 수의 순서로 이해

● 7·8세 단계

한 자리 덧셈, 뺄셈의 개념은 있지만 연습이 필요한 아이들을 위한 단계
초등 1학년 1학기 교과에 해당하는 내용
가르기와 모으기를 충분하게 연습하면서 속도와 정확성을 올릴 수 있는 단계
1권~4권은 가르기와 모으기를 연습한 후 덧셈, 뺄셈의 개념으로 확장하여 연습
5권은 받아올림, 6권은 받아내림의 원리를 아주 쉽게 풀어놓아서 받아올림과 받아내림을 처음 배우는 아이들에게 강추!!

6·7세 단계 구성과 특징

수를 세면서 덧셈, 뺄셈을 이해하고 다양한 문제로 연습합니다. 1, 2, 3권은 1에서 10까지의 수, 4, 5, 6권은 1에서 20까지의 수를 다룹니다. 생활 속 친숙한 소재와 흥미 있는 연산 퍼즐을 통해 재미있게 공부하도록 했습니다.

원리

수의 순서, 개수를 더하여 세기, 뛰어 세기로 나누어 생활 속 소재와 구체물을 통해 원리를 쉽게 이해하고 재미있게 공부할 수 있도록 하였습니다.

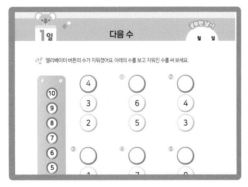 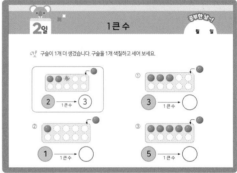

연습

학습 순서는 원리를 생각하며 연습할 수 있도록 배치하였고, 이해를 도울 수 있는 그림과 함께 연습한 후, 숫자와 기호로 된 문제도 꾸준히 반복할 수 있도록 하였습니다.

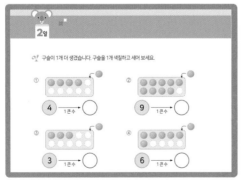 

사고력 연산

수학은 규칙의 학문입니다. 사고력 연산의 시작은 새로운 규칙을 이해하고 적용하는 것으로부터 시작합니다.
연산의 개념을 기본으로 사고를 확장할 수 있도록 하였습니다.

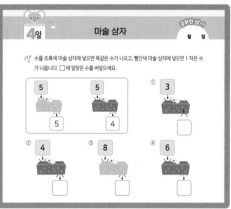

도전! 계산왕

주제가 구분되는 두 개의 단원은 정확성과 빠른 계산을 위한 집중 연습으로 주제를 마무리 합니다.

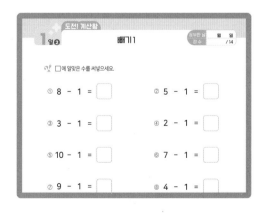

성취도 평가

개념의 이해와 연산의 수행에 부족한 부분은 없는지 성취도 평가를 통해 확인합니다.

원리셈 100% 활용하기

☑️ 책의 사이사이에 학생의 학습을 돕기 위한 저자의 내용을 잘 이용하세요.

📖 단원의 학습 내용과 방향

한 주차가 시작되는 쪽의 아래에 그 단원의 학습 내용과 어떤 방향으로 공부하는지를 설명해 놓았습니다.
학부모님이나 학생이 단원을 시작하기 전에 가볍게 읽어 보고 공부하도록 해 주세요.

📚 이해를 돕는 저자의 동영상 강의

공부를 시작하기 전에 표지의 QR코드를 확인하세요. 책의 학습 흐름과 목표, 그리고 그동안 원리셈을 먼저 공부한 아이들이 겪은 어려움에 대한 대처 방안 등을 설명해 줍니다.

🗒️ 학습 Tip   간략한 도움글은 각 쪽의 아래에 있습니다.

✍️ 천종현수학연구소 네이버 카페와 홈페이지를 활용하세요.

카페와 홈페이지에는 추가 문제 자료가 있고, 연산 외에서 수학 학습에 어려움을 상담 받을 수 있습니다.

네이버에서 **천종현수학연구소**를 검색하세요.

20까지의 3 뛴 수

20까지의 수에서 3 뛴 수를 공부합니다. 4일차에서는 1, 2, 3 뛰어 세기를 함께 다루고 있습니다.

3큰수

월   일

구슬이 3개 더 생겼습니다. 구슬을 3개 색칠하고 세어 보세요.

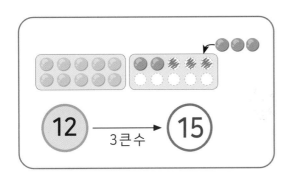

12 ──3큰수──▶ 15

①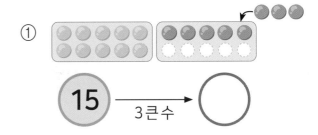

15 ──3큰수──▶ ◯

②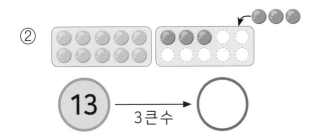

13 ──3큰수──▶ ◯

③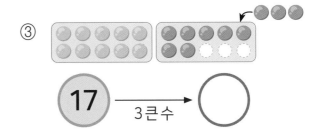

17 ──3큰수──▶ ◯

④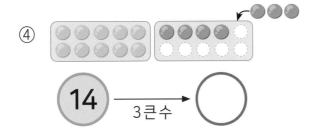

14 ──3큰수──▶ ◯

⑤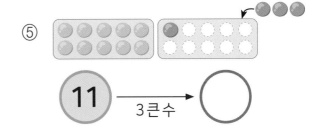

11 ──3큰수──▶ ◯

⑥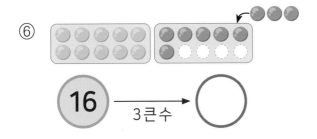

16 ──3큰수──▶ ◯

⑦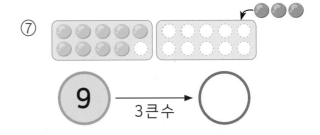

9 ──3큰수──▶ ◯

구슬이 3개 더 생겼습니다. 구슬을 3개 색칠하고 세어 보세요.

①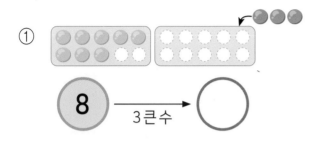

8 ──3큰수──→ ◯

②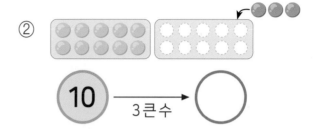

10 ──3큰수──→ ◯

③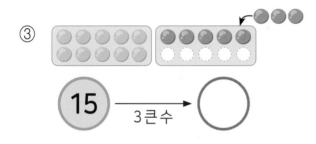

15 ──3큰수──→ ◯

④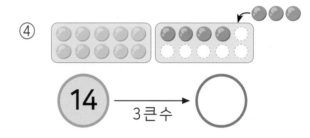

14 ──3큰수──→ ◯

⑤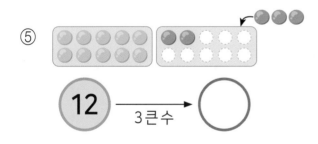

12 ──3큰수──→ ◯

⑥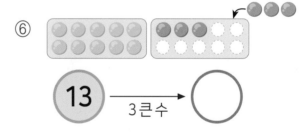

13 ──3큰수──→ ◯

⑦

11 ──3큰수──→ ◯

⑧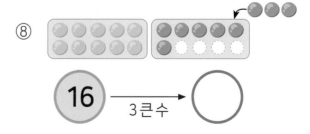

16 ──3큰수──→ ◯

구슬이 3개 더 생겼습니다. 구슬은 몇 개가 될까요?

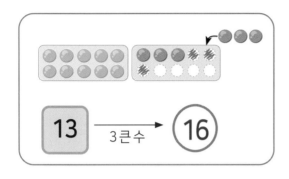

13 →(3큰수) 16

① 15 →(3큰수) ◯

② 12 →(3큰수) ◯

③ 16 →(3큰수) ◯

④ 11 →(3큰수) ◯

⑤ 10 →(3큰수) ◯

⑥ 17 →(3큰수) ◯

⑦ 9 →(3큰수) ◯

⑧ 13 →(3큰수) ◯

⑨ 14 →(3큰수) ◯

⑩ 8 →(3큰수) ◯

⑪ 15 →(3큰수) ◯

2일 세 번 1 뛴 수

월   일

세 번 1 뛴 수를 써넣으세요.

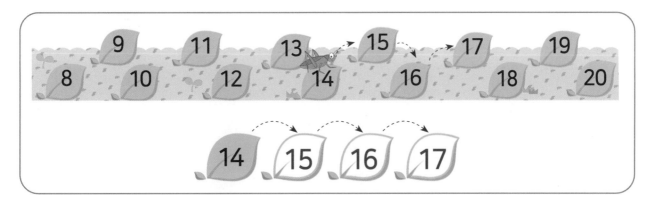

①

②

③

④

⑤

⑥

⑦

⑧

⑨

⑩

3 뛴 수를 써넣으세요.

① 16   3 뛴 수

② 8   3 뛴 수

③ 12   3 뛴 수

④ 15   3 뛴 수

⑤ 17   3 뛴 수

⑥ 13   3 뛴 수

⑦ 14   3 뛴 수

⑧ 9   3 뛴 수

⑨ 15   3 뛴 수

⑩ 10   3 뛴 수

⑪ 13   3 뛴 수

⑫ 11   3 뛴 수

3 뛴 수를 써넣으세요.

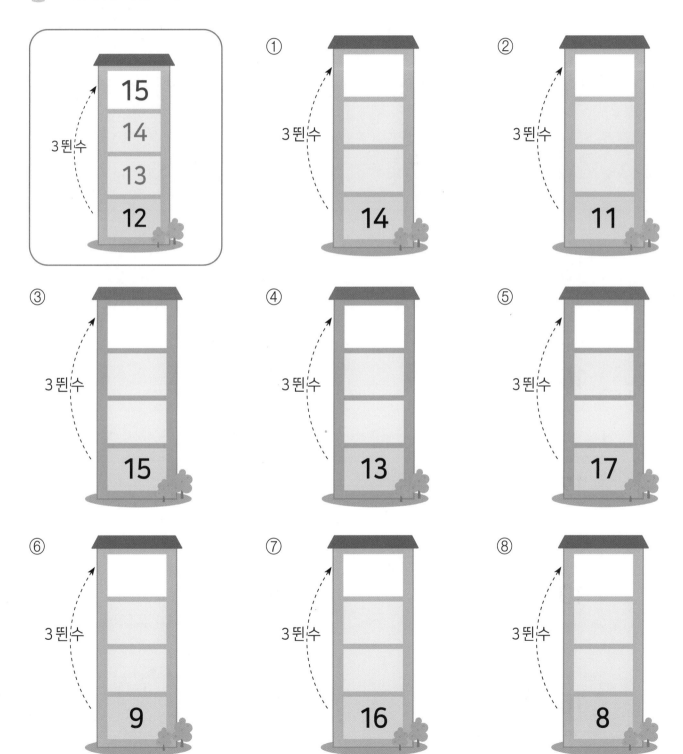

15	
14	3 뛴 수
13	
12	

① 3 뛴 수 → 14

② 3 뛴 수 → 11

③ 3 뛴 수 → 15

④ 3 뛴 수 → 13

⑤ 3 뛴 수 → 17

⑥ 3 뛴 수 → 9

⑦ 3 뛴 수 → 16

⑧ 3 뛴 수 → 8

3 뛴 수를 써넣으세요.

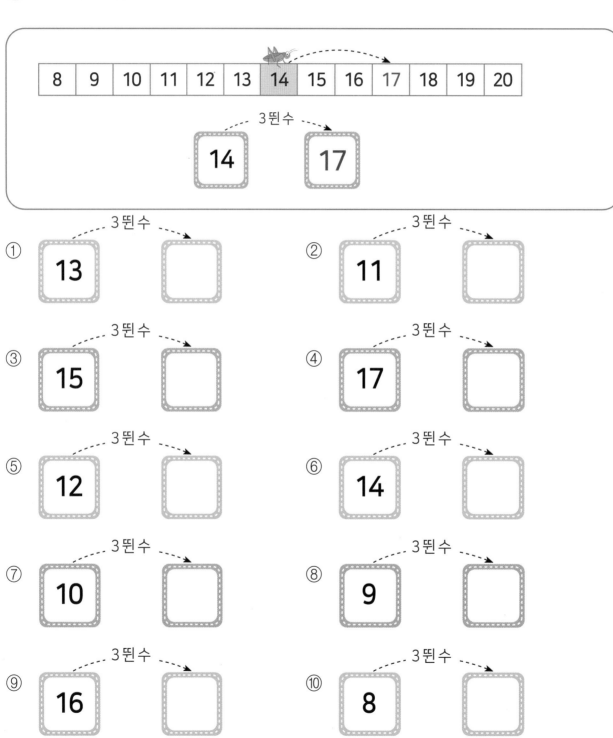

① 13 → 3 뛴 수 → [ ]

② 11 → 3 뛴 수 → [ ]

③ 15 → 3 뛴 수 → [ ]

④ 17 → 3 뛴 수 → [ ]

⑤ 12 → 3 뛴 수 → [ ]

⑥ 14 → 3 뛴 수 → [ ]

⑦ 10 → 3 뛴 수 → [ ]

⑧ 9 → 3 뛴 수 → [ ]

⑨ 16 → 3 뛴 수 → [ ]

⑩ 8 → 3 뛴 수 → [ ]

3 뛴 수를 써넣으세요.

①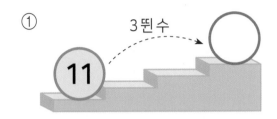

②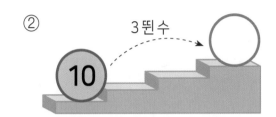

③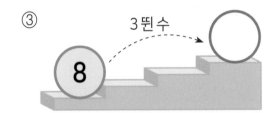

④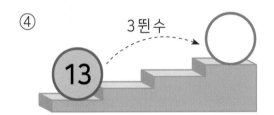

⑤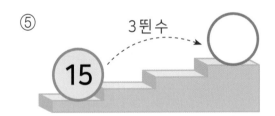

⑥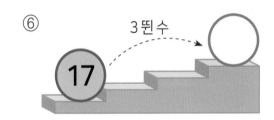

⑦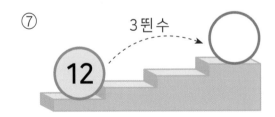

⑧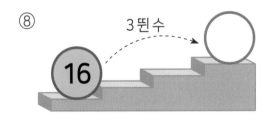

⑨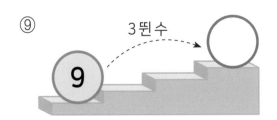

⑩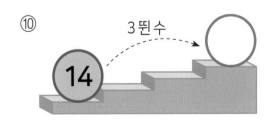

연속해서 3 뛴 수를 써넣으세요.

①

②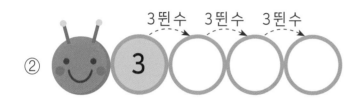

③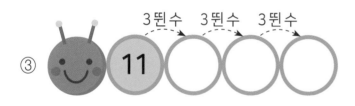

④

⑤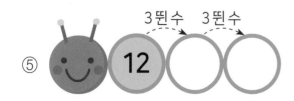

4일

화살표 약속

화살표 위에 쓰여 있는 수만큼 뛴 수를 써넣으세요.

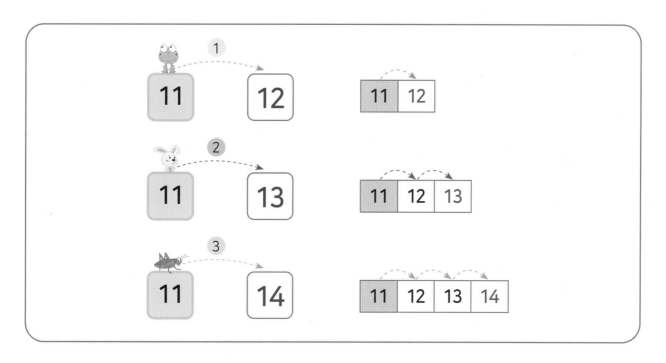

① 17 →2 [ ]

② 14 →3 [ ]

③ 13 →3 [ ]

④ 12 →2 [ ]

⑤ 8 →2 [ ]

⑥ 15 →3 [ ]

🐨 화살표 위에 쓰여 있는 수만큼 뛴 수를 써넣으세요.

①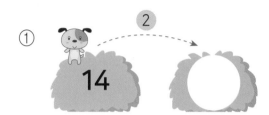

②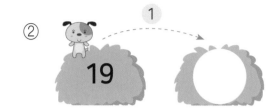

③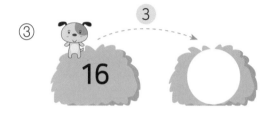

④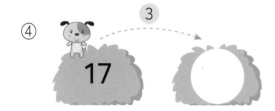

⑤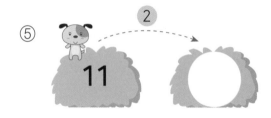

⑥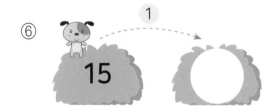

⑦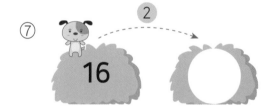

⑧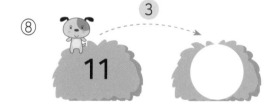

⑨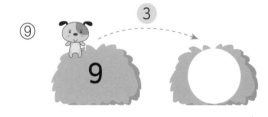

⑩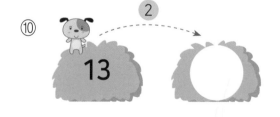

⑪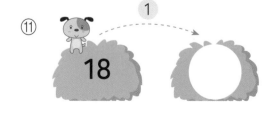

⑫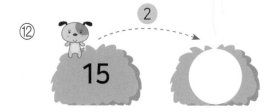

화살표 위에 쓰여 있는 수만큼 뛴 수를 써넣으세요.

①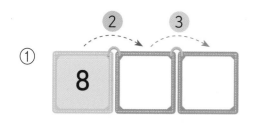

②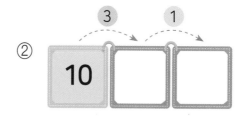

③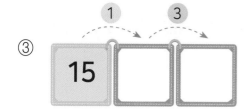

④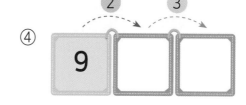

⑤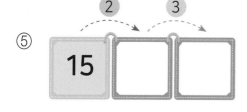

⑥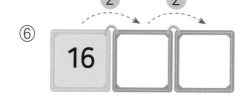

⑦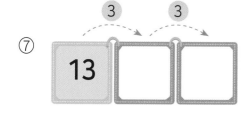

⑧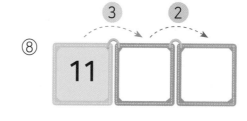

⑨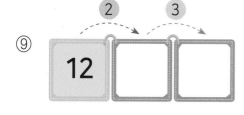

⑩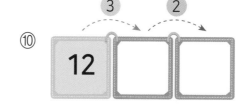

⑪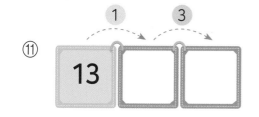

⑫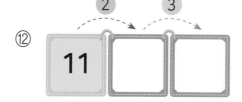

수 퍼즐

월   일

🌱 3 큰 수를 찾아 같은 모양을 그려 보세요.

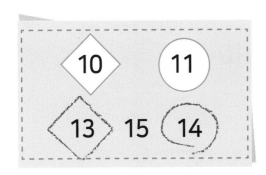

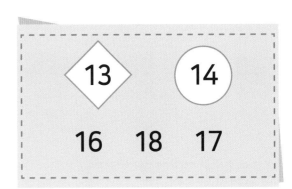

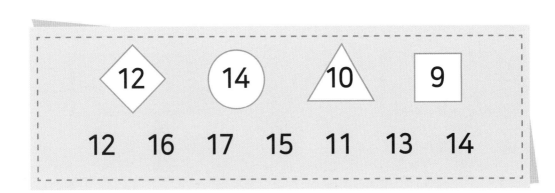

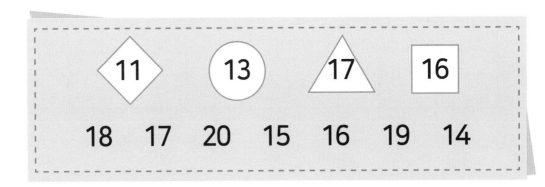

★ 에서 시작하여 3씩 커지는 수를 연결하여 색칠해 보세요.

★ 3	6	9
13	14	12
16	18	15

★ 1	4	8	7
3	7	9	12
11	10	13	16
12	14	17	19

★ 2	4	12	19
5	9	17	20
8	11	14	18
10	13	15	16

3 뛰어 센 수를 잘못 구한 것을 찾아 바르게 고쳐 보세요.

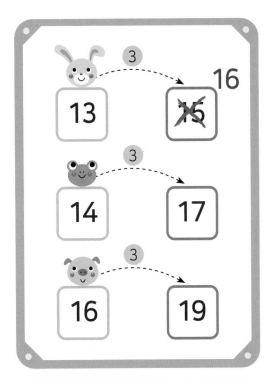

16

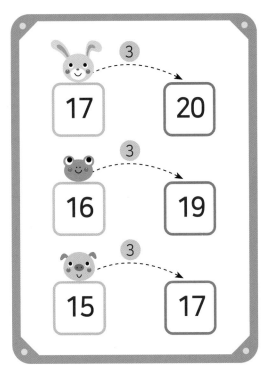

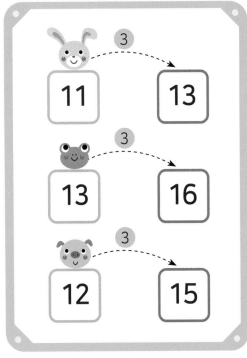

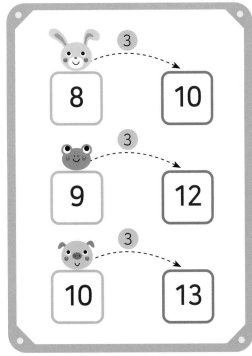

20까지의 더하기 3

20까지의 더하기 3을 공부합니다.

3 큰 수와 더하기 3

🐨 □에 알맞은 수를 써넣으세요.

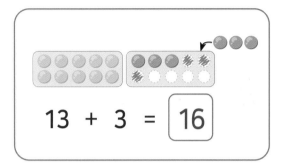

13 + 3 = **16**

① 8 + 3 =

② 15 + 3 =

③ 14 + 3 =

④ 11 + 3 =

⑤ 12 + 3 =

⑥ 9 + 3 =

⑦ 17 + 3 =

□에 알맞은 수를 써넣으세요.

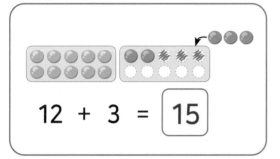

12 + 3 = 15

① 13 + 3 = ☐

② 17 + 3 = ☐

③ 15 + 3 = ☐

④ 11 + 3 = ☐

⑤ 10 + 3 = ☐

⑥ 12 + 3 = ☐

⑦ 16 + 3 = ☐

⑧ 8 + 3 = ☐

⑨ 9 + 3 = ☐

⑩ 14 + 3 = ☐

⑪ 17 + 3 = ☐

□에 알맞은 수를 써넣으세요.

① 10 + 3 = ☐

② 11 + 3 = ☐

③ 17 + 3 = ☐

④ 8 + 3 = ☐

⑤ 12 + 3 = ☐

⑥ 15 + 3 = ☐

⑦ 16 + 3 = ☐

⑧ 9 + 3 = ☐

⑨ 14 + 3 = ☐

⑩ 10 + 3 = ☐

⑪ 16 + 3 = ☐

⑫ 17 + 3 = ☐

⑬ 13 + 3 = ☐

⑭ 11 + 3 = ☐

3 뛴 수와 더하기 3

월   일

💡 □에 알맞은 수를 써넣으세요.

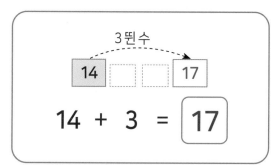

14 + 3 = 17

① 16 + 3 =

② 15 + 3 =

③ 9 + 3 =

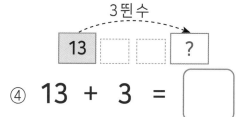

④ 13 + 3 =

⑤ 11 + 3 =

⑥ 14 + 3 =

⑦ 12 + 3 =

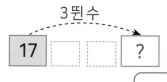

⑧ 17 + 3 =

⑨ 10 + 3 =

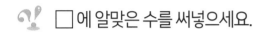 □에 알맞은 수를 써넣으세요.

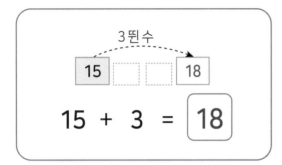

15 + 3 = 18

① 16 + 3 = ☐

② 14 + 3 = ☐

③ 12 + 3 = ☐

④ 11 + 3 = ☐

⑤ 9 + 3 = ☐

⑥ 17 + 3 = ☐

⑦ 10 + 3 = ☐

⑧ 13 + 3 = ☐

⑨ 8 + 3 = ☐

⑩ 16 + 3 = ☐

⑪ 15 + 3 = ☐

□에 알맞은 수를 써넣으세요.

① 13 + 3 = ☐

② 12 + 3 = ☐

③ 15 + 3 = ☐

④ 9 + 3 = ☐

⑤ 16 + 3 = ☐

⑥ 17 + 3 = ☐

⑦ 8 + 3 = ☐

⑧ 10 + 3 = ☐

⑨ 13 + 3 = ☐

⑩ 15 + 3 = ☐

⑪ 16 + 3 = ☐

⑫ 11 + 3 = ☐

⑬ 9 + 3 = ☐

⑭ 14 + 3 = ☐

답을 이어서 더하기 3을 계산해 보세요.

□ + 3 = □

8
+
3
=
□ + 3 = □

= 3 +

□ + 3 = □

= 3 +

9 + 3 = □

답을 이어서 더하기를 계산해 보세요.

□ + 1 = □

10
+
3
=
□ + 3 = □

= 3 +

빈 곳에 알맞은 수를 써넣으세요.

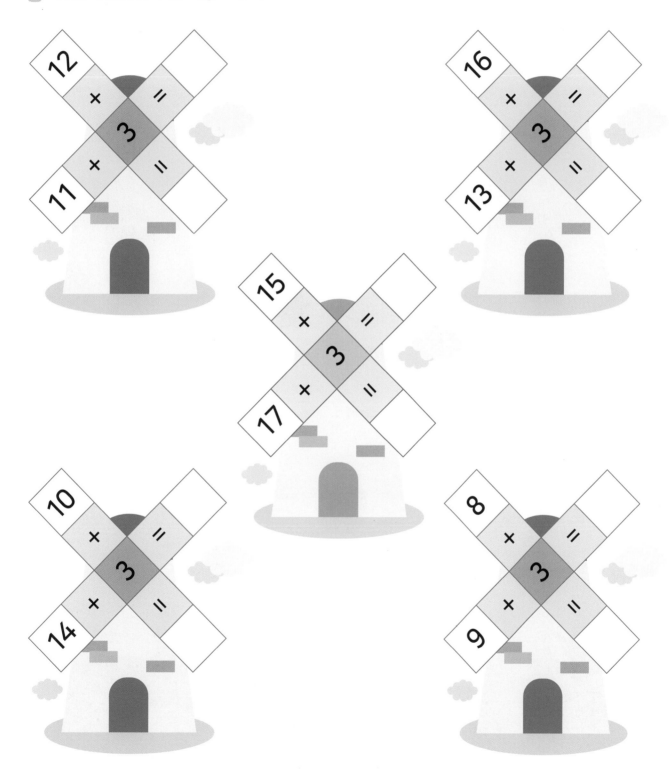

3을 더한 수를 찾아 화살표를 연속해서 그려 보세요.

🐛 □에 알맞은 수를 써넣으세요.

$13 + 3 = \boxed{16}$

$3 + 13 = \boxed{16}$

① $11 + 3 = \boxed{}$

② $3 + 11 = \boxed{}$

③ $9 + 3 = \boxed{}$

④ $3 + 9 = \boxed{}$

⑤ $15 + 3 = \boxed{}$

⑥ $3 + 15 = \boxed{}$

두 수를 두 가지 방법으로 더해 보세요.

3 + 14 = 17

14 + 3 = 17

① ☐ + ☐ = ☐

② ☐ + ☐ = ☐

③ ☐ + ☐ = ☐

④ ☐ + ☐ = ☐

⑤ ☐ + ☐ = ☐

⑥ ☐ + ☐ = ☐

⑦ ☐ + ☐ = ☐

⑧ ☐ + ☐ = ☐

□에 알맞은 수를 써넣으세요.

① $3 + 12 =$

② $3 + 16 =$

③ $3 + 17 =$

④ $3 + 13 =$

⑤ $3 + 8 =$

⑥ $3 + 14 =$

⑦ $3 + 10 =$

⑧ $3 + 12 =$

⑨ $3 + 11 =$

⑩ $3 + 9 =$

⑪ $3 + 14 =$

⑫ $3 + 15 =$

⑬ $3 + 16 =$

⑭ $3 + 8 =$

연산 퍼즐

💡 두 수를 더한 결과가 같은 것을 선으로 이어 보세요.

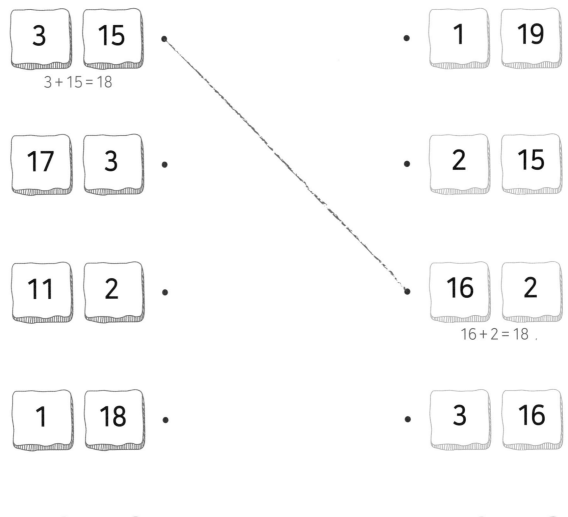

| 3 | 15 |
3 + 15 = 18

| 17 | 3 |

| 11 | 2 |

| 1 | 18 |

| 2 | 13 |

| 3 | 14 |

| 1 | 19 |

| 2 | 15 |

| 16 | 2 |
16 + 2 = 18

| 3 | 16 |

| 3 | 10 |

| 12 | 3 |

계산 결과에 알맞게 길을 그려 보세요.

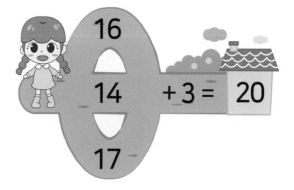

계산 결과가 올바른 칸을 모두 색칠해 보세요.

8 + 3 = 11	3 + 11 = 13	8 + 3 = 12
3 + 16 = 19	11 + 3 = 15	15 + 3 = 17
17 + 3 = 20	3 + 13 = 16	3 + 11 = 14
10 + 3 = 13	3 + 16 = 18	7 + 3 = 10
14 + 3 = 17	3 + 9 = 12	12 + 3 = 15

색칠한 칸이 나타내는 숫자는 무엇입니까?

도전! 계산왕

3뛴 수 / 더하기 3

💡 구슬이 3개 더 생겼습니다. 구슬은 몇 개가 될까요?

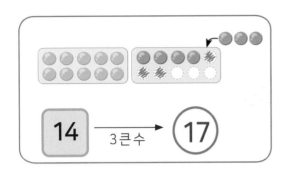

14 →(3큰수)→ 17

① 12 →(3큰수)→ ◯

② 16 →(3큰수)→ ◯

③ 17 →(3큰수)→ ◯

④ 10 →(3큰수)→ ◯

⑤ 9 →(3큰수)→ ◯

⑥ 8 →(3큰수)→ ◯

⑦ 15 →(3큰수)→ ◯

⑧ 13 →(3큰수)→ ◯

⑨ 11 →(3큰수)→ ◯

⑩ 14 →(3큰수)→ ◯

⑪ 17 →(3큰수)→ ◯

3뛴 수 / 더하기 3

🐛 □에 알맞은 수를 써넣으세요.

① 8 + 3 = □

② 15 + 3 = □

③ 12 + 3 = □

④ 14 + 3 = □

⑤ 16 + 3 = □

⑥ 9 + 3 = □

⑦ 17 + 3 = □

⑧ 11 + 3 = □

⑨ 10 + 3 = □

⑩ 13 + 3 = □

⑪ 15 + 3 = □

⑫ 12 + 3 = □

⑬ 9 + 3 = □

⑭ 16 + 3 = □

3뛴수 / 더하기 3

🐛 세 번 1 뛴 수를 써넣으세요.

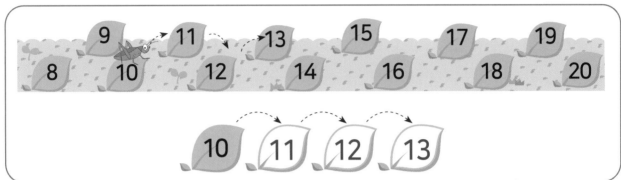

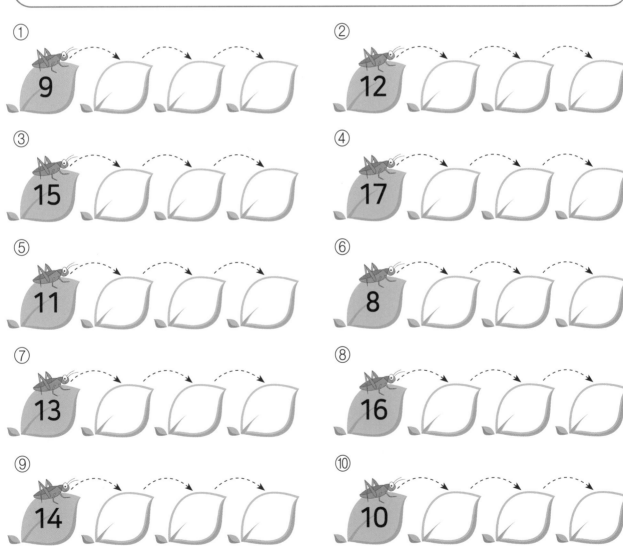

① 9

② 12

③ 15

④ 17

⑤ 11

⑥ 8

⑦ 13

⑧ 16

⑨ 14

⑩ 10

2일 ❷

3뛴수 / 더하기 3

□에 알맞은 수를 써넣으세요.

① 11 + 3 = ☐　　　　② 14 + 3 = ☐

③ 17 + 3 = ☐　　　　④ 13 + 3 = ☐

⑤ 9 + 3 = ☐　　　　⑥ 12 + 3 = ☐

⑦ 15 + 3 = ☐　　　　⑧ 8 + 3 = ☐

⑨ 10 + 3 = ☐　　　　⑩ 16 + 3 = ☐

⑪ 14 + 3 = ☐　　　　⑫ 11 + 3 = ☐

⑬ 12 + 3 = ☐　　　　⑭ 9 + 3 = ☐

3 뛴 수 / 더하기 3

💡 3 뛴 수를 써넣으세요.

①

②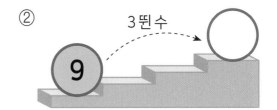

③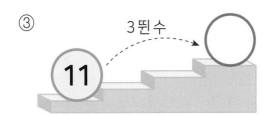

④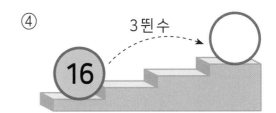

⑤

⑥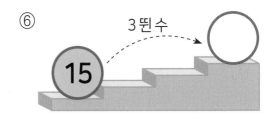

⑦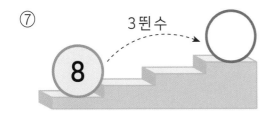

⑧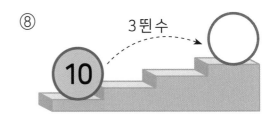

⑨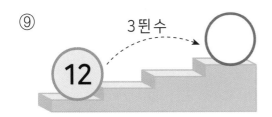

⑩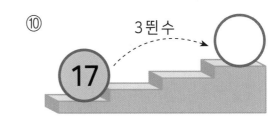

3뛴수 / 더하기 3

□에 알맞은 수를 써넣으세요.

① $13 + 3 =$ ☐

② $16 + 3 =$ ☐

③ $12 + 3 =$ ☐

④ $9 + 3 =$ ☐

⑤ $15 + 3 =$ ☐

⑥ $11 + 3 =$ ☐

⑦ $8 + 3 =$ ☐

⑧ $10 + 3 =$ ☐

⑨ $14 + 3 =$ ☐

⑩ $17 + 3 =$ ☐

⑪ $16 + 3 =$ ☐

⑫ $12 + 3 =$ ☐

⑬ $9 + 3 =$ ☐

⑭ $13 + 3 =$ ☐

3뛴수 / 더하기 3

🐌 □에 알맞은 수를 써넣으세요.

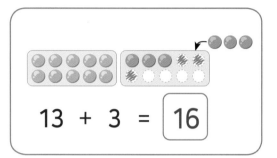

13 + 3 = 16

① 11 + 3 = □

② 15 + 3 = □

③ 9 + 3 = □

④ 12 + 3 = □

⑤ 14 + 3 = □

⑥ 16 + 3 = □

⑦ 8 + 3 = □

⑧ 10 + 3 = □

⑨ 17 + 3 = □

⑩ 13 + 3 = □

⑪ 12 + 3 = □

4일 ❷

3뛴 수 / 더하기 3

❓ □에 알맞은 수를 써넣으세요.

① 12 + 3 = ☐

② 10 + 3 = ☐

③ 16 + 3 = ☐

④ 14 + 3 = ☐

⑤ 8 + 3 = ☐

⑥ 15 + 3 = ☐

⑦ 9 + 3 = ☐

⑧ 11 + 3 = ☐

⑨ 13 + 3 = ☐

⑩ 17 + 3 = ☐

⑪ 14 + 3 = ☐

⑫ 10 + 3 = ☐

⑬ 16 + 3 = ☐

⑭ 12 + 3 = ☐

3뛴수 / 더하기 3

💡 □에 알맞은 수를 써넣으세요.

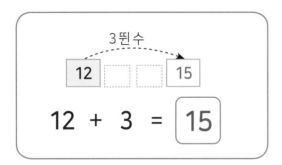

12 + 3 = **15**

① 15 + 3 = ☐

② 8 + 3 = ☐

③ 11 + 3 = ☐

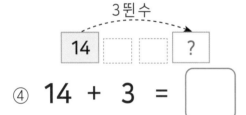

④ 14 + 3 = ☐

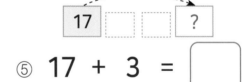

⑤ 17 + 3 = ☐

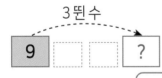

⑥ 9 + 3 = ☐

⑦ 10 + 3 = ☐

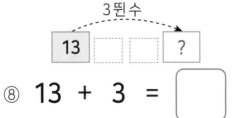

⑧ 13 + 3 = ☐

⑨ 16 + 3 = ☐

3뛴 수 / 더하기 3

 □에 알맞은 수를 써넣으세요.

① 10 + 3 = ☐

② 8 + 3 = ☐

③ 15 + 3 = ☐

④ 17 + 3 = ☐

⑤ 11 + 3 = ☐

⑥ 13 + 3 = ☐

⑦ 16 + 3 = ☐

⑧ 9 + 3 = ☐

⑨ 12 + 3 = ☐

⑩ 14 + 3 = ☐

⑪ 8 + 3 = ☐

⑫ 15 + 3 = ☐

⑬ 17 + 3 = ☐

⑭ 16 + 3 = ☐

20까지의 거꾸로 3 뛴 수

20까지의 수에서 거꾸로 3 뛰어 센 수를 공부합니다.

3 작은 수

동생에게 구슬 3개를 주었습니다. 구슬 3개를 지우고 세어 보세요.

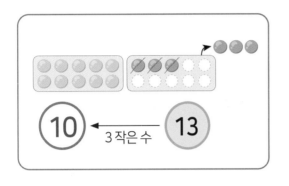

①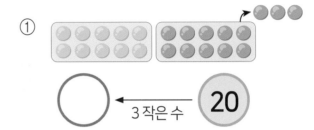

②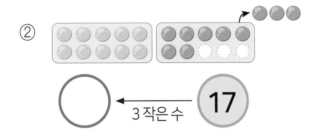

③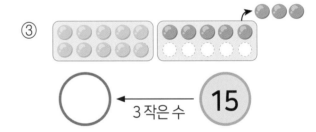

④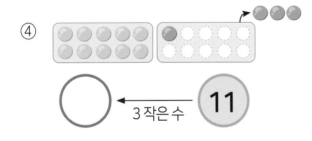

⑤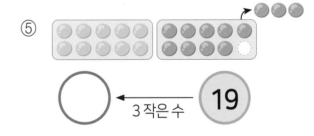

⑥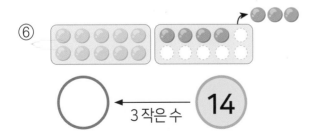

⑦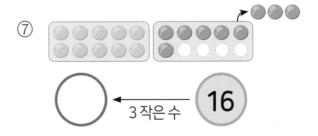

동생에게 구슬 3개를 주었습니다. 구슬 3개를 지우고 세어 보세요.

①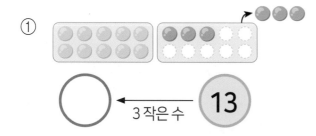

◯ ← 3 작은 수 (13)

②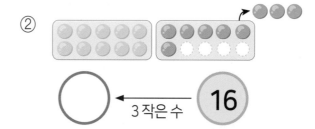

◯ ← 3 작은 수 (16)

③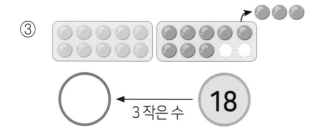

◯ ← 3 작은 수 (18)

④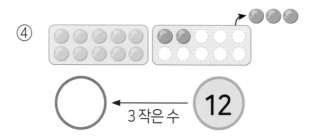

◯ ← 3 작은 수 (12)

⑤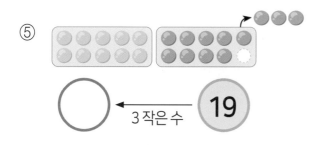

◯ ← 3 작은 수 (19)

⑥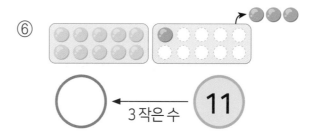

◯ ← 3 작은 수 (11)

⑦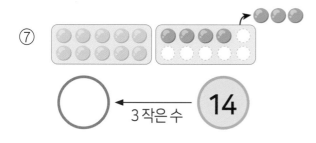

◯ ← 3 작은 수 (14)

⑧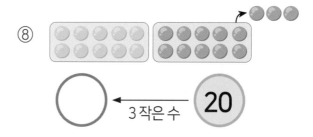

◯ ← 3 작은 수 (20)

동생에게 구슬 3개를 주었습니다. 구슬은 몇 개가 될까요?

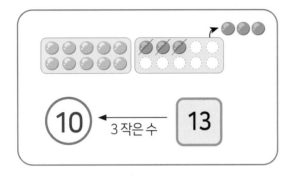

10 ← 3 작은 수 ─ 13

① ◯ ← 3 작은 수 ─ 18

② ◯ ← 3 작은 수 ─ 14

③ ◯ ← 3 작은 수 ─ 12

④ ◯ ← 3 작은 수 ─ 16

⑤ ◯ ← 3 작은 수 ─ 17

⑥ ◯ ← 3 작은 수 ─ 19

⑦ ◯ ← 3 작은 수 ─ 15

⑧ ◯ ← 3 작은 수 ─ 17

⑨ ◯ ← 3 작은 수 ─ 13

⑩ ◯ ← 3 작은 수 ─ 11

⑪ ◯ ← 3 작은 수 ─ 20

거꾸로 세 번 1 뛴 수

거꾸로 세 번 1 뛴 수를 써넣으세요.

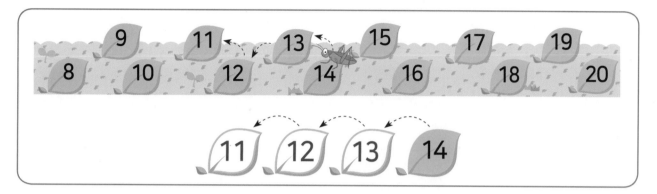

①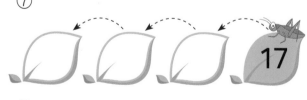

②

③
12

④
20

⑤
13

⑥
14

⑦
17

⑧
16

⑨
11

⑩
19

🐨 거꾸로 3 뛴 수를 써넣으세요.

① 거꾸로 3 뛴 수   12

② 거꾸로 3 뛴 수   18

③ 거꾸로 3 뛴 수   20

④ 거꾸로 3 뛴 수   14

⑤ 거꾸로 3 뛴 수   13

⑥ 거꾸로 3 뛴 수   16

⑦ 거꾸로 3 뛴 수   11

⑧ 거꾸로 3 뛴 수   17

⑨ 거꾸로 3 뛴 수   19

⑩ 거꾸로 3 뛴 수   15

⑪ 거꾸로 3 뛴 수   20

⑫ 거꾸로 3 뛴 수   13

거꾸로 3 뛴 수를 써넣으세요.

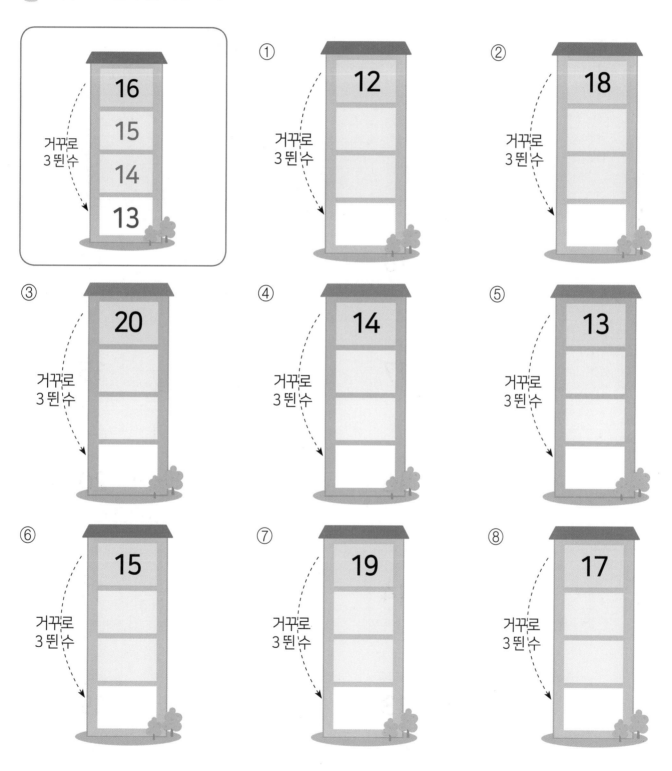

16
15
14
13

거꾸로
3 뛴 수

① 12

거꾸로
3 뛴 수

② 18

거꾸로
3 뛴 수

③ 20

거꾸로
3 뛴 수

④ 14

거꾸로
3 뛴 수

⑤ 13

거꾸로
3 뛴 수

⑥ 15

거꾸로
3 뛴 수

⑦ 19

거꾸로
3 뛴 수

⑧ 17

거꾸로
3 뛴 수

거꾸로 3 뛴 수

거꾸로 3 뛴 수를 써넣으세요.

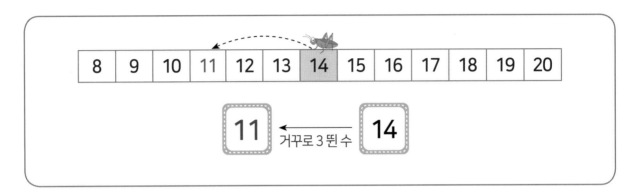

| 8 | 9 | 10 | 11 | 12 | 13 | 14 | 15 | 16 | 17 | 18 | 19 | 20 |

11 ← 거꾸로 3 뛴 수 **14**

① [ ] ← 거꾸로 3 뛴 수 **18**

② [ ] ← 거꾸로 3 뛴 수 **12**

③ [ ] ← 거꾸로 3 뛴 수 **17**

④ [ ] ← 거꾸로 3 뛴 수 **15**

⑤ [ ] ← 거꾸로 3 뛴 수 **16**

⑥ [ ] ← 거꾸로 3 뛴 수 **20**

⑦ [ ] ← 거꾸로 3 뛴 수 **14**

⑧ [ ] ← 거꾸로 3 뛴 수 **11**

⑨ [ ] ← 거꾸로 3 뛴 수 **13**

⑩ [ ] ← 거꾸로 3 뛴 수 **19**

 거꾸로 3 뛴 수를 써넣으세요.

①
거꾸로 3 뛴 수 **19**

②
거꾸로 3 뛴 수 **14**

③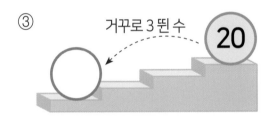
거꾸로 3 뛴 수 **20**

④
거꾸로 3 뛴 수 **11**

⑤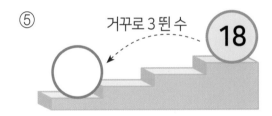
거꾸로 3 뛴 수 **18**

⑥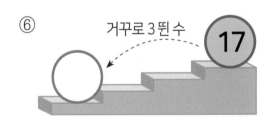
거꾸로 3 뛴 수 **17**

⑦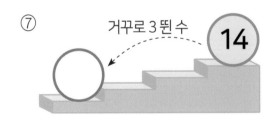
거꾸로 3 뛴 수 **14**

⑧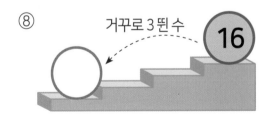
거꾸로 3 뛴 수 **16**

⑨
거꾸로 3 뛴 수 **15**

⑩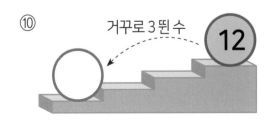
거꾸로 3 뛴 수 **12**

연속해서 거꾸로 3 뛴 수를 써넣으세요.

①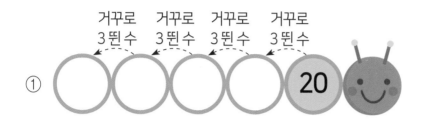

②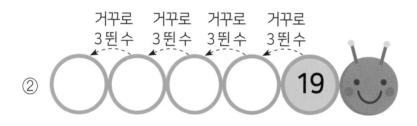

③

화살표 약속

화살표 위에 쓰여 있는 수만큼 거꾸로 뛴 수를 써넣으세요.

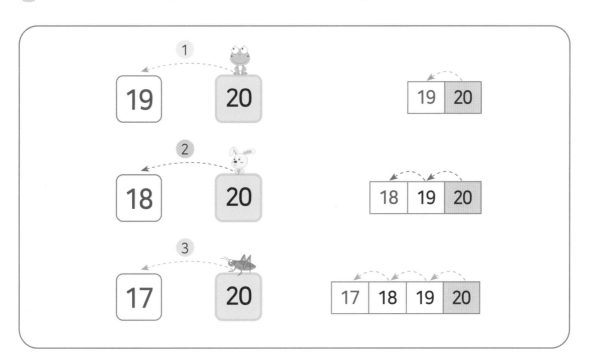

①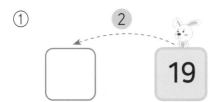

②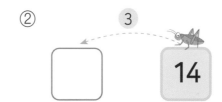

③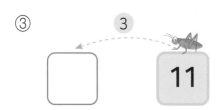

④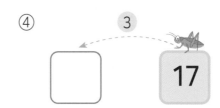

⑤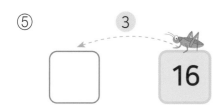

⑥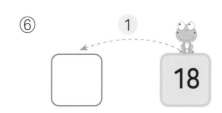

화살표 위에 쓰여 있는 수만큼 거꾸로 뛴 수를 써넣으세요.

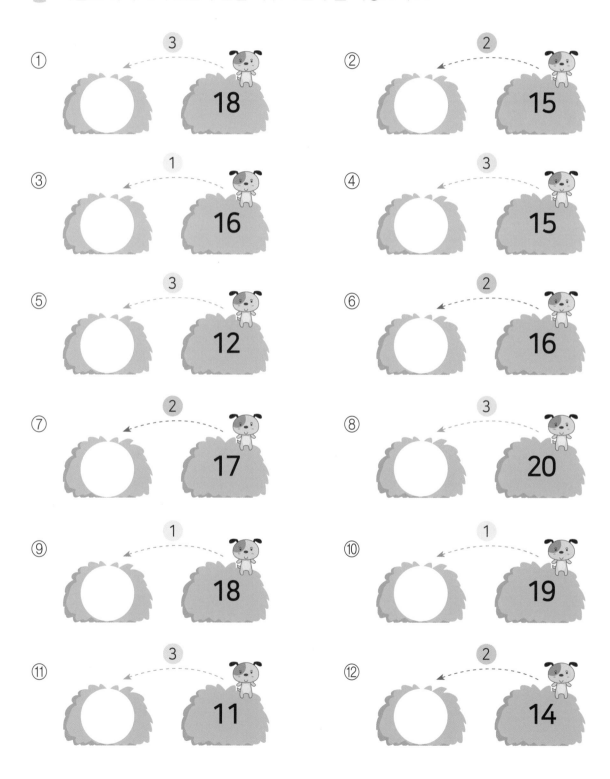

① 3 18

② 2 15

③ 1 16

④ 3 15

⑤ 3 12

⑥ 2 16

⑦ 2 17

⑧ 3 20

⑨ 1 18

⑩ 1 19

⑪ 3 11

⑫ 2 14

화살표 위에 쓰여 있는 수만큼 거꾸로 뛴 수를 써넣으세요.

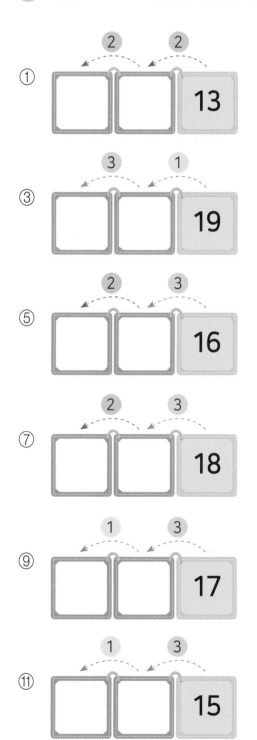
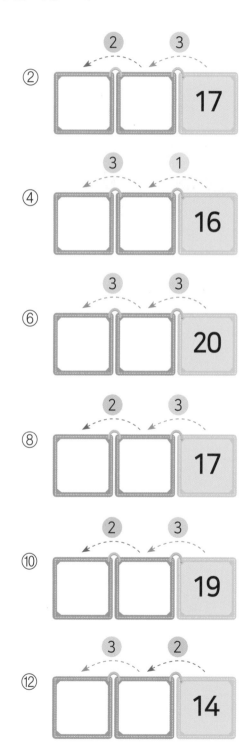

① 2 ← 2 ← [ ] [ ] 13

② 2 ← 3 ← [ ] [ ] 17

③ 3 ← 1 ← [ ] [ ] 19

④ 3 ← 1 ← [ ] [ ] 16

⑤ 2 ← 3 ← [ ] [ ] 16

⑥ 3 ← 3 ← [ ] [ ] 20

⑦ 2 ← 3 ← [ ] [ ] 18

⑧ 2 ← 3 ← [ ] [ ] 17

⑨ 1 ← 3 ← [ ] [ ] 17

⑩ 2 ← 3 ← [ ] [ ] 19

⑪ 1 ← 3 ← [ ] [ ] 15

⑫ 3 ← 2 ← [ ] [ ] 14

🐰 왼쪽 수보다 ◯ 안의 수만큼 큰 수를 선으로 이어 보세요.

(3)

13 •   • 14

11 •   • 12

9 •   • 16

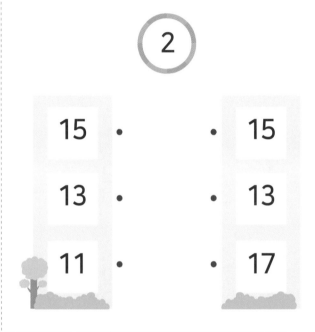

(2)

15 •   • 15

13 •   • 13

11 •   • 17

(1)

16 •   • 16

17 •   • 18

15 •   • 17

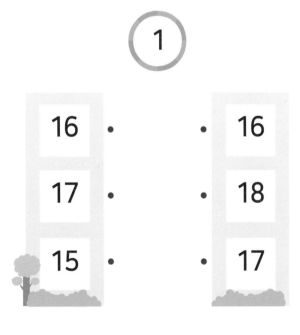

(3)

14 •   • 19

15 •   • 17

16 •   • 18

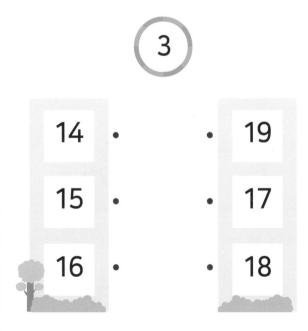

거꾸로 3 뛴 수를 잘못 구한 것을 찾아 바르게 고쳐 보세요.

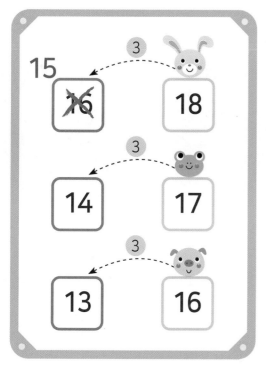

15

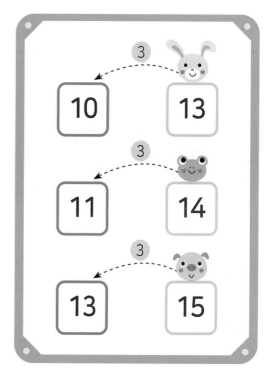

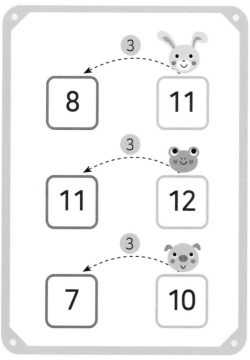

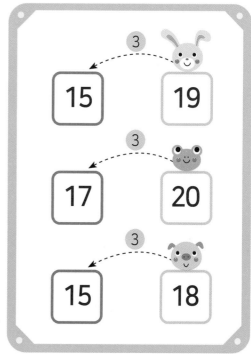

3씩 작아지는 수를 따라 두 사람이 집에 가는 길을 각각 그려 보세요.

20까지의 빼기 3

4주차의 거꾸로 3 뛰어 센 수에 이어 빼기 3을 공부합니다. 6·7세 3권과 같이 차의 개념을 가볍게 공부하도록 하였습니다.

□에 알맞은 수를 써넣으세요.

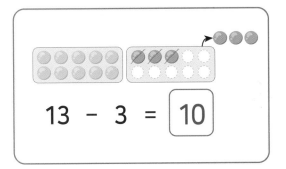

$$13 - 3 = \boxed{10}$$

①

$$17 - 3 = \boxed{}$$

②

$$20 - 3 = \boxed{}$$

③

$$12 - 3 = \boxed{}$$

④

$$18 - 3 = \boxed{}$$

⑤

$$19 - 3 = \boxed{}$$

⑥

$$11 - 3 = \boxed{}$$

⑦

$$15 - 3 = \boxed{}$$

□에 알맞은 수를 써넣으세요.

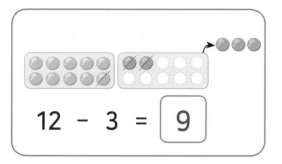

12 - 3 = 9

① 11 - 3 = ☐

② 15 - 3 = ☐

③ 20 - 3 = ☐

④ 17 - 3 = ☐

⑤ 18 - 3 = ☐

⑥ 14 - 3 = ☐

⑦ 19 - 3 = ☐

⑧ 13 - 3 = ☐

⑨ 12 - 3 = ☐

⑩ 18 - 3 = ☐

⑪ 16 - 3 = ☐

□에 알맞은 수를 써넣으세요.

① 11 − 3 = ☐

② 12 − 3 = ☐

③ 17 − 3 = ☐

④ 13 − 3 = ☐

⑤ 19 − 3 = ☐

⑥ 14 − 3 = ☐

⑦ 12 − 3 = ☐

⑧ 20 − 3 = ☐

⑨ 13 − 3 = ☐

⑩ 18 − 3 = ☐

⑪ 16 − 3 = ☐

⑫ 15 − 3 = ☐

⑬ 20 − 3 = ☐

⑭ 17 − 3 = ☐

💡 □에 알맞은 수를 써넣으세요.

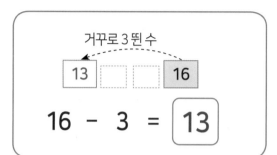

거꾸로 3 뛴 수

| 13 | | | 16 |

16 - 3 = 13

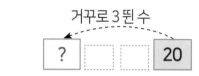

거꾸로 3 뛴 수

| ? | | | 20 |

① 20 - 3 = □

거꾸로 3 뛴 수

| ? | | | 15 |

② 15 - 3 = □

거꾸로 3 뛴 수

| ? | | | 19 |

③ 19 - 3 = □

거꾸로 3 뛴 수

| ? | | | 13 |

④ 13 - 3 = □

거꾸로 3 뛴 수

| ? | | | 17 |

⑤ 17 - 3 = □

거꾸로 3 뛴 수

| ? | | | 11 |

⑥ 11 - 3 = □

거꾸로 3 뛴 수

| ? | | | 12 |

⑦ 12 - 3 = □

거꾸로 3 뛴 수

| ? | | | 14 |

⑧ 14 - 3 = □

거꾸로 3 뛴 수

| ? | | | 18 |

⑨ 18 - 3 = □

💡 □에 알맞은 수를 써넣으세요.

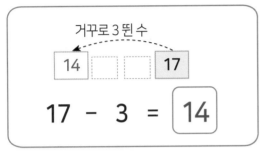

거꾸로 3 뛴 수

| 14 | | | 17 |

17 - 3 = **14**

① 19 - 3 = □

② 11 - 3 = □

③ 15 - 3 = □

④ 18 - 3 = □

⑤ 12 - 3 = □

⑥ 16 - 3 = □

⑦ 13 - 3 = □

⑧ 14 - 3 = □

⑨ 20 - 3 = □

⑩ 19 - 3 = □

⑪ 17 - 3 = □

□에 알맞은 수를 써넣으세요.

① $20 - 3 =$ ☐

② $14 - 3 =$ ☐

③ $16 - 3 =$ ☐

④ $13 - 3 =$ ☐

⑤ $17 - 3 =$ ☐

⑥ $15 - 3 =$ ☐

⑦ $11 - 3 =$ ☐

⑧ $18 - 3 =$ ☐

⑨ $19 - 3 =$ ☐

⑩ $12 - 3 =$ ☐

⑪ $15 - 3 =$ ☐

⑫ $14 - 3 =$ ☐

⑬ $17 - 3 =$ ☐

⑭ $18 - 3 =$ ☐

💡 답을 이어서 빼기 3을 계산해 보세요.

18 − 3 = ☐

☐

| 3

=

☐ − 3 = ☐

3

|

20

|

3

=

☐ − 3 = ☐

☐ − 3 = ☐

=

3

|

☐ − 3 = ☐

=

3

|

19 − 3 = ☐

3

=

☐

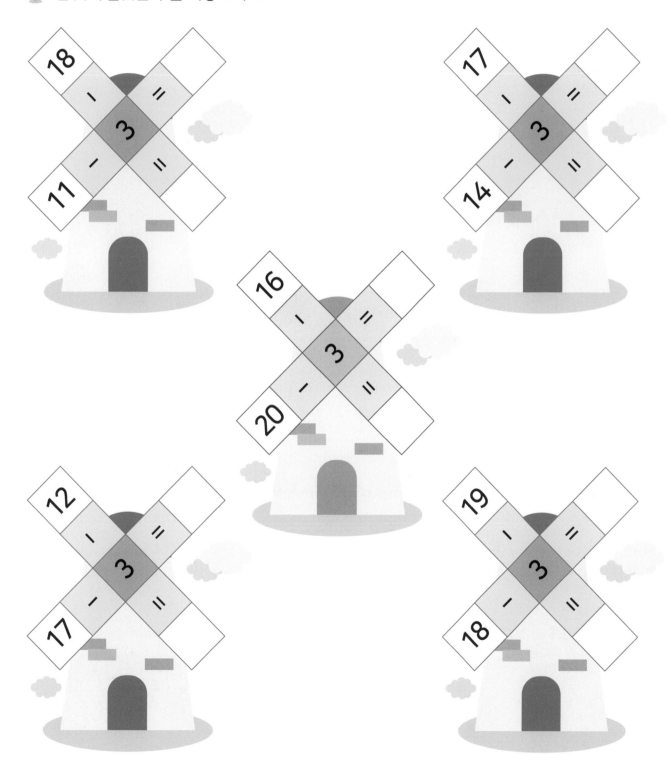

빈 곳에 알맞은 수를 써넣으세요.

18 − 3 = □
11 − 3 = □

17 − 3 = □
14 − 3 = □

16 − 3 = □
20 − 3 = □

12 − 3 = □
17 − 3 = □

19 − 3 = □
18 − 3 = □

3을 뺀 수를 찾아 화살표를 연속해서 그려 보세요.

두 수 중 큰 수에서 작은 수를 빼 보세요.

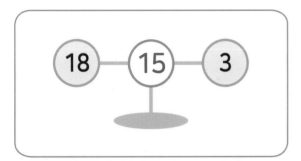

①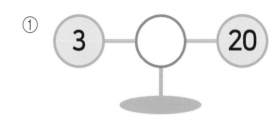

②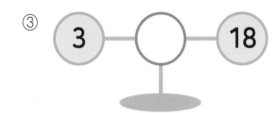

③ ... 3 — ○ — 18

④ 3 — ○ — 16

⑤ 11 — ○ — 3

⑥ 3 — ○ — 15

⑦ 14 — ○ — 3

⑧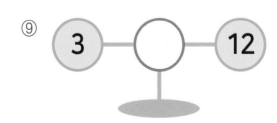

⑨ 3 — ○ — 12

규칙에 알맞게 빈칸에 알맞은 수를 써넣으세요.

−	12	15	14
1	11	14	13

12 - 1 = 11   15 - 1 = 14   14 - 1 = 13

①

−	17	14	15
2			

②

−	19	16	13
3			

③

−	18	15	12
3			

④

−	17	20	16
1			

⑤

−	11	14	17
3			

두 수 중 큰 수에서 작은 수를 빼어 보세요.

12 - 3 = 9

①

②

③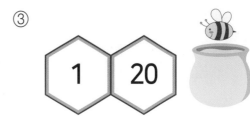

④

⑤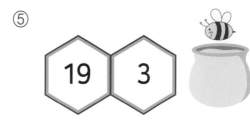

⑥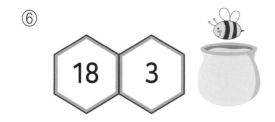

⑦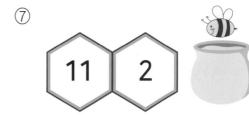

⑧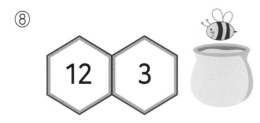

⑨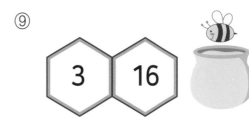

⑩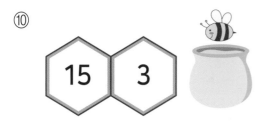

⑪

큰 수에서 작은 수를 뺀 결과가 같은 것을 선으로 이어 보세요.

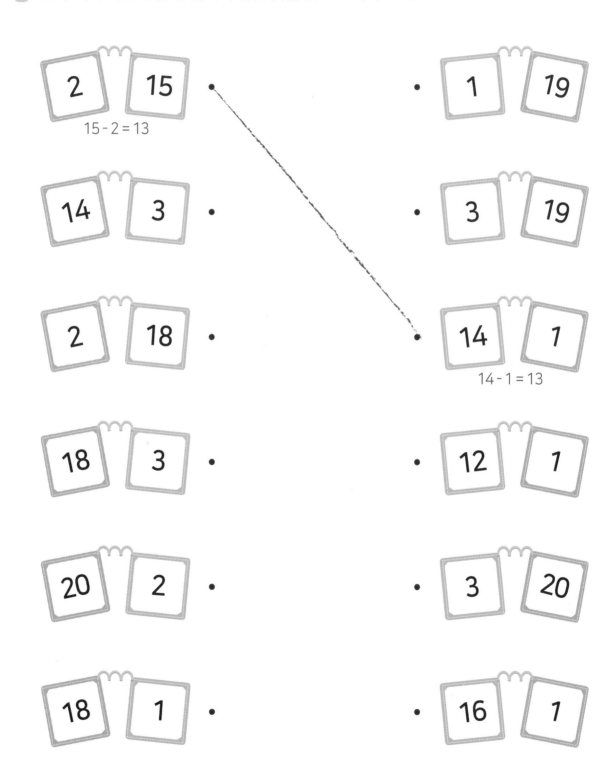

2 15 •
15 - 2 = 13

14 3 •

2 18 •

18 3 •

20 2 •

18 1 •

• 1 19

• 3 19

• 14 1
14 - 1 = 13

• 12 1

• 3 20

• 16 1

계산 결과가 올바른 것에 모두 ◯표 하세요.

$20 - 3 = 17$

$15 - 3 = 11$

$17 + 3 = 19$

$16 - 3 = 13$

$13 + 3 = 15$

$16 + 3 = 19$

$14 + 3 = 17$

$19 - 3 = 16$

$13 - 3 = 11$

$10 + 3 = 12$

$18 - 3 = 15$

$11 + 3 = 14$

식을 계산하여 집까지 가는 길을 그려 보세요.

도전! 계산왕

1 일 ❶

거꾸로 3 뛴 수 / 빼기 3

🔮 동생에게 구슬 3개를 주었습니다. 구슬이 몇 개가 될까요?

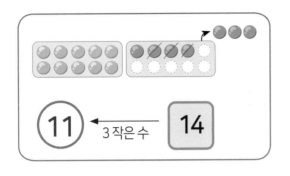

11 ← 3 작은 수 — 14

① ◯ ← 3 작은 수 — 20

② ◯ ← 3 작은 수 — 17

③ ◯ ← 3 작은 수 — 13

④ ◯ ← 3 작은 수 — 18

⑤ ◯ ← 3 작은 수 — 15

⑥ ◯ ← 3 작은 수 — 16

⑦ ◯ ← 3 작은 수 — 13

⑧ ◯ ← 3 작은 수 — 15

⑨ ◯ ← 3 작은 수 — 17

⑩ ◯ ← 3 작은 수 — 14

⑪ ◯ ← 3 작은 수 — 20

거꾸로 3뛴 수 / 빼기 3

🐤 □에 알맞은 수를 써넣으세요.

① $19 - 3 = $ ☐

② $15 - 3 = $ ☐

③ $12 - 3 = $ ☐

④ $18 - 3 = $ ☐

⑤ $20 - 3 = $ ☐

⑥ $11 - 3 = $ ☐

⑦ $16 - 3 = $ ☐

⑧ $13 - 3 = $ ☐

⑨ $17 - 3 = $ ☐

⑩ $14 - 3 = $ ☐

⑪ $18 - 3 = $ ☐

⑫ $12 - 3 = $ ☐

⑬ $13 - 3 = $ ☐

⑭ $19 - 3 = $ ☐

거꾸로 3 뛴 수 / 빼기 3

💡 거꾸로 세 번 1 뛴 수를 써넣으세요.

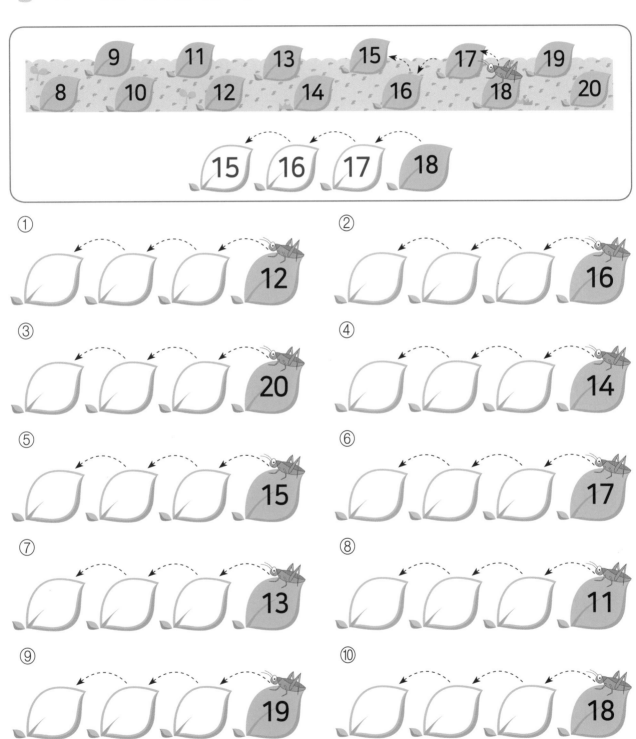

① 12

② 16

③ 20

④ 14

⑤ 15

⑥ 17

⑦ 13

⑧ 11

⑨ 19

⑩ 18

2일 ❷

거꾸로 3뛴 수 / 빼기 3

공부한 날 월 일
점수 / 14

💡 □에 알맞은 수를 써넣으세요.

① 16 − 3 = ☐

② 20 − 3 = ☐

③ 18 − 3 = ☐

④ 12 − 3 = ☐

⑤ 15 − 3 = ☐

⑥ 17 − 3 = ☐

⑦ 11 − 3 = ☐

⑧ 19 − 3 = ☐

⑨ 13 − 3 = ☐

⑩ 14 − 3 = ☐

⑪ 20 − 3 = ☐

⑫ 18 − 3 = ☐

⑬ 12 − 3 = ☐

⑭ 15 − 3 = ☐

거꾸로 3 뛴 수 / 빼기 3

공부한 날	월 일
점 수	/ 10

거꾸로 3 뛴 수를 써넣으세요.

①
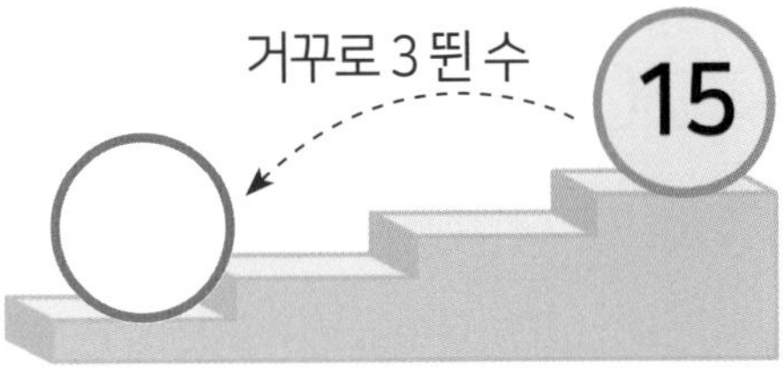

②
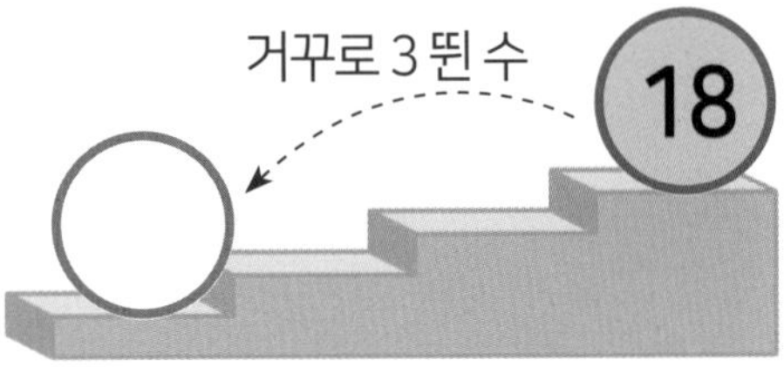

③
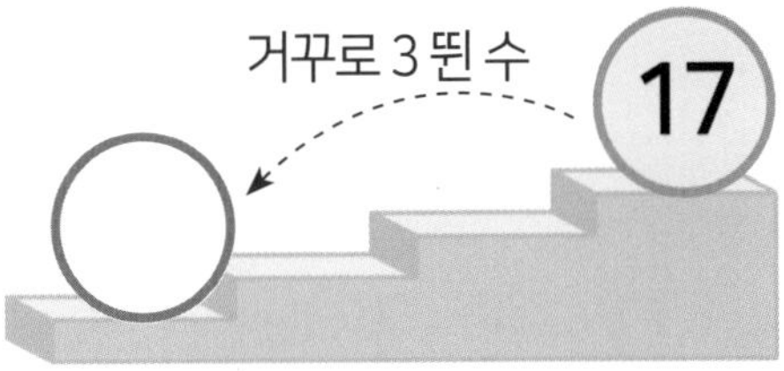

④
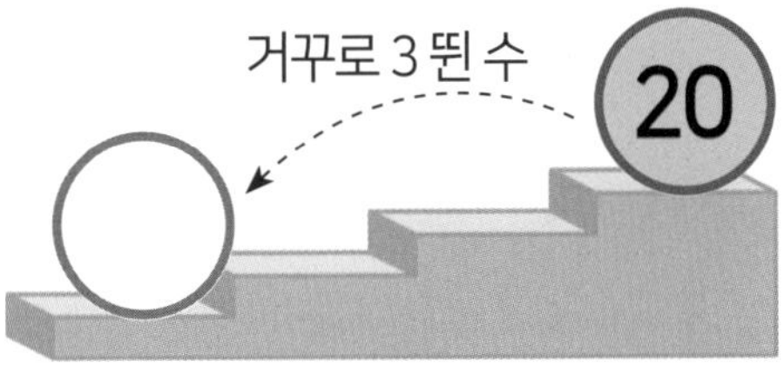

⑤
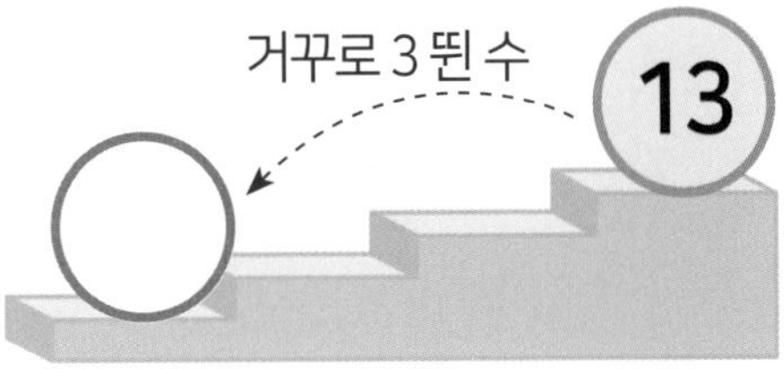

⑥
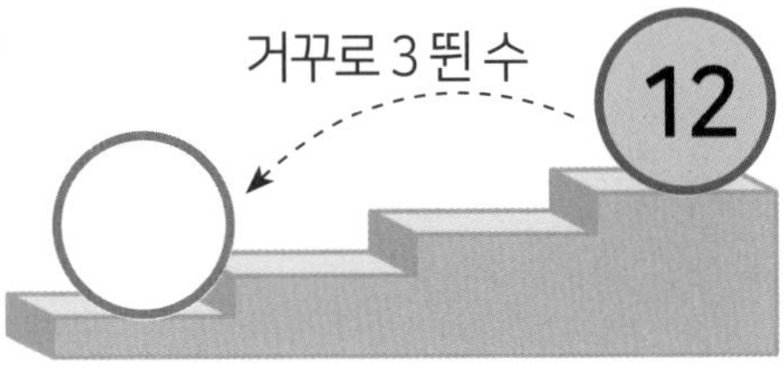

⑦
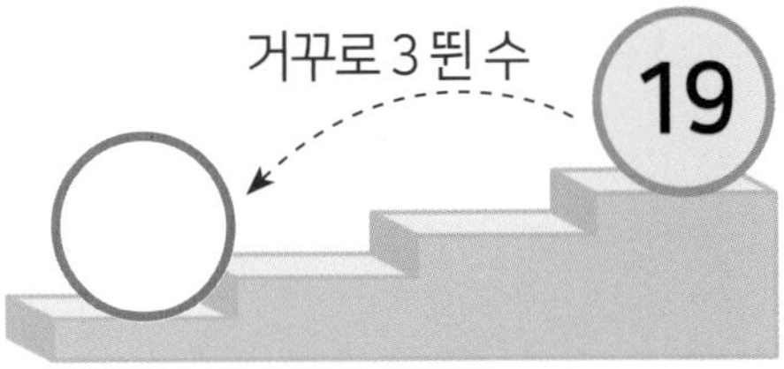

⑧
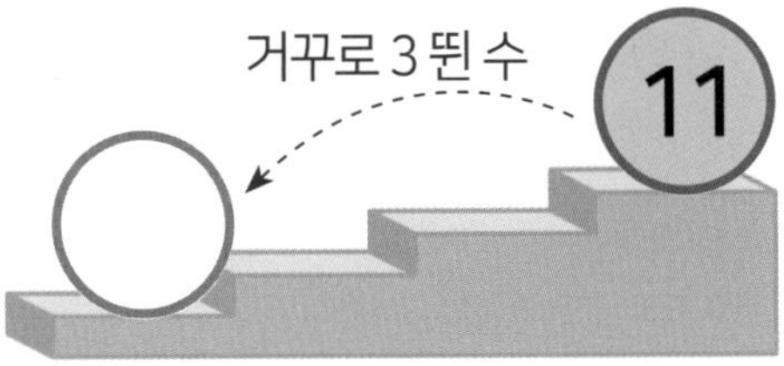

⑨
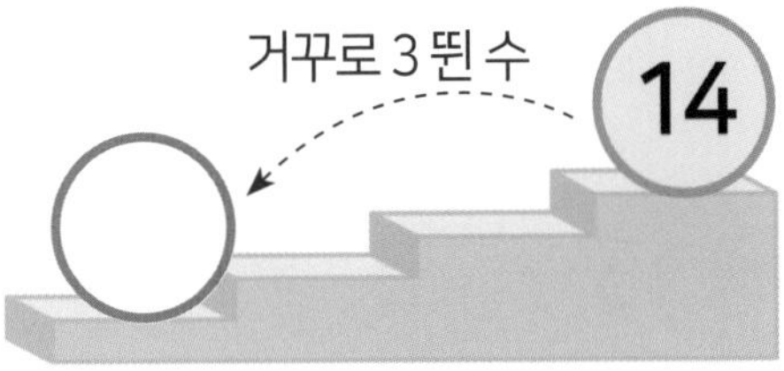

⑩
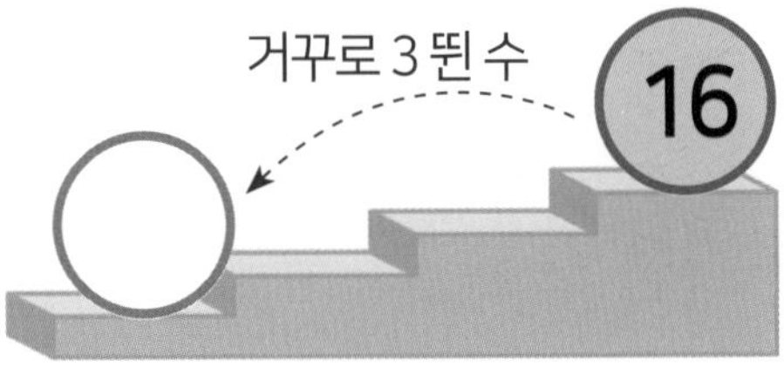

거꾸로 3뛴 수 / 빼기 3

💡 □에 알맞은 수를 써넣으세요.

① 17 − 3 = □

② 11 − 3 = □

③ 15 − 3 = □

④ 19 − 3 = □

⑤ 20 − 3 = □

⑥ 14 − 3 = □

⑦ 12 − 3 = □

⑧ 18 − 3 = □

⑨ 16 − 3 = □

⑩ 13 − 3 = □

⑪ 19 − 3 = □

⑫ 20 − 3 = □

⑬ 17 − 3 = □

⑭ 12 − 3 = □

거꾸로 3뛴 수 / 빼기 3

💡 □에 알맞은 수를 써넣으세요.

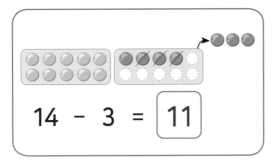

14 - 3 = **11**

① 17 - 3 = □

② 12 - 3 = □

③ 19 - 3 = □

④ 20 - 3 = □

⑤ 15 - 3 = □

⑥ 13 - 3 = □

⑦ 16 - 3 = □

⑧ 11 - 3 = □

⑨ 18 - 3 = □

⑩ 14 - 3 = □

⑪ 20 - 3 = □

4일 ❷

거꾸로 3뛴 수 / 빼기 3

🐰 □에 알맞은 수를 써넣으세요.

① $20 - 3 = \boxed{}$

② $15 - 3 = \boxed{}$

③ $13 - 3 = \boxed{}$

④ $17 - 3 = \boxed{}$

⑤ $14 - 3 = \boxed{}$

⑥ $16 - 3 = \boxed{}$

⑦ $19 - 3 = \boxed{}$

⑧ $12 - 3 = \boxed{}$

⑨ $11 - 3 = \boxed{}$

⑩ $18 - 3 = \boxed{}$

⑪ $20 - 3 = \boxed{}$

⑫ $13 - 3 = \boxed{}$

⑬ $17 - 3 = \boxed{}$

⑭ $15 - 3 = \boxed{}$

5일 ①

거꾸로 3 뛴 수 / 빼기 3

□에 알맞은 수를 써넣으세요.

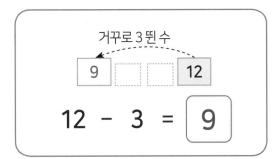

거꾸로 3 뛴 수

| 9 | | | 12 |

12 - 3 = 9

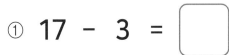

거꾸로 3 뛴 수

| ? | | | 17 |

① 17 - 3 =

거꾸로 3 뛴 수

| ? | | | 19 |

② 19 - 3 =

거꾸로 3 뛴 수

| ? | | | 14 |

③ 14 - 3 =

거꾸로 3 뛴 수

| ? | | | 11 |

④ 11 - 3 =

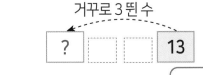

거꾸로 3 뛴 수

| ? | | | 13 |

⑤ 13 - 3 =

거꾸로 3 뛴 수

| ? | | | 16 |

⑥ 16 - 3 =

거꾸로 3 뛴 수

| ? | | | 18 |

⑦ 18 - 3 =

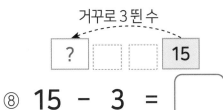

거꾸로 3 뛴 수

| ? | | | 15 |

⑧ 15 - 3 =

거꾸로 3 뛴 수

| ? | | | 20 |

⑨ 20 - 3 =

거꾸로 3 뛴 수 / 빼기 3

❓ □에 알맞은 수를 써넣으세요.

① 16 - 3 = ☐　　② 19 - 3 = ☐

③ 13 - 3 = ☐　　④ 11 - 3 = ☐

⑤ 18 - 3 = ☐　　⑥ 20 - 3 = ☐

⑦ 12 - 3 = ☐　　⑧ 14 - 3 = ☐

⑨ 15 - 3 = ☐　　⑩ 17 - 3 = ☐

⑪ 19 - 3 = ☐　　⑫ 13 - 3 = ☐

⑬ 20 - 3 = ☐　　⑭ 12 - 3 = ☐

MEMO

총괄 테스트

09 3큰 수를 구하세요.

10 → 3큰 수 → ◯

10 3큰 수를 찾고 구한 것을 찾아 바르게 고쳐 보세요.

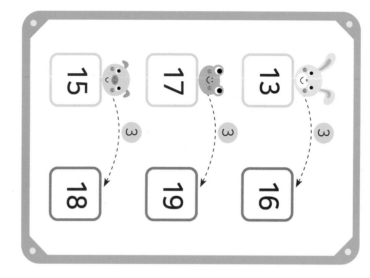

11 □에 알맞은 수를 써넣으세요.

11 + 3 =

9 + 3 =

12 답을 이어서 계산해 보세요.

10 + 3 = □ = □ + 3

13 3 작은 수를 구하세요.

16 → 3 작은 수 → ◯

14 3 작은 수를 찾아 같은 모양을 그려 보세요.

12 13

10 9 11

15 19

12 14 16

15 □에 알맞은 수를 써넣으세요.

20 - 3 =

18 - 3 =

16 거꾸로 3 작은 수를 찾고 구한 것을 찾아 바르게 고쳐 보세요.

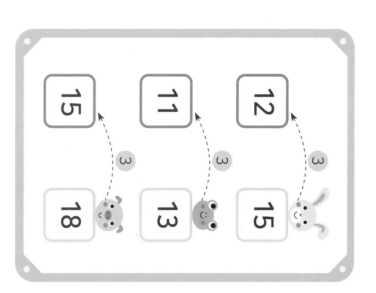

총괄 테스트

01 3 큰 수를 구하세요.

15 —3큰수→ ◯

02 화살표 위에 쓰여 있는 수만큼 뛴 수를 써 보세요.

13 →3 □ →2 □

14 →1 □ →3 □

03 □에 알맞은 수를 써넣으세요.

$16 + 3 =$ □

$12 + 3 =$ □

04 두 수를 서로 더한 값과 큰 수에서 작은 수를 뺀 값을 각각 구하세요.

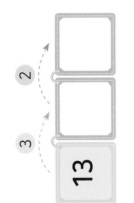

3   14

$14 + 3 =$ □

$14 - 3 =$ □

05 3 작은 수를 구하세요.

11 —3작은수→ ◯

06 3 큰 수를 찾아 같은 모양을 그려 보세요.

12◇   13△

14   16   15

14◇   15△

18   16   17

07 □에 알맞은 수를 써넣으세요.

$13 - 3 =$ □

$16 - 3 =$ □

08 답을 이어서 계산해 보세요.

$18 - 3 =$ □ $- 3 =$ □

우리 아이 첫 수학은
유자수 가 답이다

보드마카와
붙임 딱지로
즐겁게

내 아이에게
딱 맞는
엄마표 문제

재미있게
스스로
반복학습

방송에서 화제가 된 바로 그 교재!

생각과 자신감이 커지는 유아 자신감 수학!

실력도 탑! 재미도 탑!
사고력 수학의 으뜸!
TOP 사고력 수학

6~7세   7~8세   초1~2학년   초2~3학년

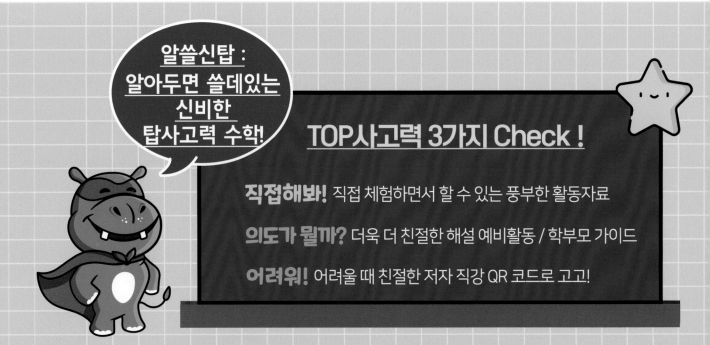

알쓸신탑 :
알아두면 쓸데있는
신비한
탑사고력 수학!

TOP사고력 3가지 Check !

직접해봐! 직접 체험하면서 할 수 있는 풍부한 활동자료

의도가 뭘까? 더욱 더 친절한 해설 예비활동 / 학부모 가이드

어려워! 어려울 때 친절한 저자 직강 QR 코드로 고고!

1주차 - 20까지의 3 뛴 수

10쪽

① 18
② 16　③ 20
④ 17　⑤ 14
⑥ 19　⑦ 12

11쪽

① 11　② 13
③ 18　④ 17
⑤ 15　⑥ 16
⑦ 14　⑧ 19

12쪽

① 18
② 15　③ 19
④ 14　⑤ 13
⑥ 20　⑦ 12
⑧ 16　⑨ 17
⑩ 11　⑪ 18

13쪽

① 9, 10,11　② 16, 17, 18
③ 10, 11, 12　④ 14, 15, 16
⑤ 18, 19, 20　⑥ 13, 14, 15
⑦ 12, 13, 14　⑧ 15, 16, 17
⑨ 17, 18, 19　⑩ 11, 12, 13

14쪽

① 19　② 11
③ 15　④ 18
⑤ 20　⑥ 16
⑦ 17　⑧ 12
⑨ 18　⑩ 13
⑪ 16　⑫ 14

15쪽

① 17　② 14
③ 18　④ 16　⑤ 20
⑥ 12　⑦ 19　⑧ 11

16쪽

① 16　② 14
③ 18　④ 20
⑤ 15　⑥ 17
⑦ 13　⑧ 12
⑨ 19　⑩ 11

17쪽

① 14　② 13
③ 11　④ 16
⑤ 18　⑥ 20
⑦ 15　⑧ 19
⑨ 12　⑩ 17

18쪽

① 7, 10, 13
② 6, 9, 12
③ 14, 17, 20
④ 16, 19
⑤ 15, 18

19쪽

① 19　② 17
③ 16　④ 14
⑤ 10　⑥ 18

20쪽

① 16　② 20
③ 19　④ 20
⑤ 13　⑥ 16
⑦ 18　⑧ 14
⑨ 12　⑩ 15
⑪ 19　⑫ 17

21쪽

① 10, 13　② 13, 14
③ 16, 19　④ 11, 14
⑤ 17, 20　⑥ 18, 20
⑦ 16, 19　⑧ 14, 16
⑨ 14, 17　⑩ 15, 17
⑪ 14, 17　⑫ 13, 16

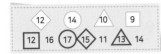

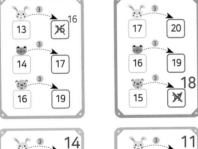
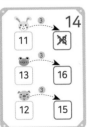 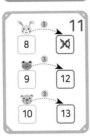

8
+
3
=
11 + 3 = 14

17 + 3 = 20

15 + 3 = 18
3
+
9 + 3 = 12

10
+
3
=
13 + 3 = 16

19 + 1 = 20

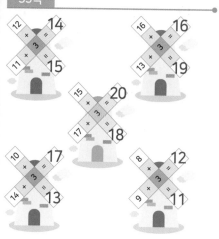

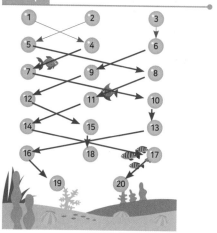

① 14
② 14
③ 12
④ 12
⑤ 18
⑥ 18

① 12, 3, 15 ③ 3, 16, 19
② 3, 12, 15 ④ 16, 3, 19
⑤ 3, 17, 20 ⑦ 3, 10, 13
⑥ 17, 3, 20 ⑧ 10, 3, 13

①과 ②, ③과 ④, ⑤와 ⑥, ⑦과 ⑧
은 서로 바뀔 수 있습니다.

① 15 ② 19
③ 20 ④ 16
⑤ 11 ⑥ 17
⑦ 13 ⑧ 15
⑨ 14 ⑩ 12
⑪ 17 ⑫ 18
⑬ 19 ⑭ 11

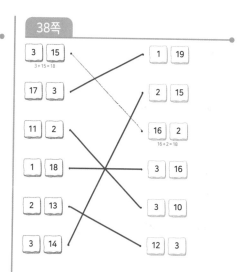

색칠한 칸이 나타내는 숫자는 무엇입니까? 6

42쪽

① 15
② 19　③ 20
④ 13　⑤ 12
⑥ 11　⑦ 18
⑧ 16　⑨ 14
⑩ 17　⑪ 20

43쪽

① 11　② 18
③ 15　④ 17
⑤ 19　⑥ 12
⑦ 20　⑧ 14
⑨ 13　⑩ 16
⑪ 18　⑫ 15
⑬ 12　⑭ 19

44쪽

① 10, 11, 12　② 13, 14, 15
③ 16, 17, 18　④ 18, 19, 20
⑤ 12, 13, 14　⑥ 9, 10, 11
⑦ 14, 15, 16　⑧ 17, 18, 19
⑨ 15, 16, 17　⑩ 11, 12, 13

45쪽

① 14　② 17
③ 20　④ 16
⑤ 12　⑥ 15
⑦ 18　⑧ 11
⑨ 13　⑩ 19
⑪ 17　⑫ 14
⑬ 15　⑭ 12

46쪽

① 16　② 12
③ 14　④ 19
⑤ 17　⑥ 18
⑦ 11　⑧ 13
⑨ 15　⑩ 20

47쪽

① 16　② 19
③ 15　④ 12
⑤ 18　⑥ 14
⑦ 11　⑧ 13
⑨ 17　⑩ 20
⑪ 19　⑫ 15
⑬ 12　⑭ 16

48쪽

① 14
② 18　③ 12
④ 15　⑤ 17
⑥ 19　⑦ 11
⑧ 13　⑨ 20
⑩ 16　⑪ 15

49쪽

① 15　② 13
③ 19　④ 17
⑤ 11　⑥ 18
⑦ 12　⑧ 14
⑨ 16　⑩ 20
⑪ 17　⑫ 13
⑬ 19　⑭ 15

50쪽

① 18
② 11　③ 14
④ 17　⑤ 20
⑥ 12　⑦ 13
⑧ 16　⑨ 19

① 13　② 11
③ 18　④ 20
⑤ 14　⑥ 16
⑦ 19　⑧ 12
⑨ 15　⑩ 17
⑪ 11　⑫ 18
⑬ 20　⑭ 19

4주차 - 20까지의 거꾸로 3 뛴 수

54쪽

　　　① 17
② 14　③ 12
④ 8　⑤ 16
⑥ 11　⑦ 13

55쪽

① 10　② 13
③ 15　④ 9
⑤ 16　⑥ 8
⑦ 11　⑧ 17

56쪽

　　　① 15
② 11　③ 9
④ 13　⑤ 14
⑥ 16　⑦ 12
⑧ 14　⑨ 10
⑩ 8　⑪ 17

57쪽

① 15, 16, 17　② 12, 13, 14
③ 9, 10, 11　④ 17, 18, 19
⑤ 10, 11, 12　⑥ 11, 12, 13
⑦ 14, 15, 16　⑧ 13, 14, 15
⑨ 8, 9, 10　⑩ 16, 17, 18

58쪽

① 9　② 15
③ 17　④ 11
⑤ 10　⑥ 13
⑦ 8　⑧ 14
⑨ 16　⑩ 12
⑪ 17　⑫ 10

59쪽

　　　① 9　② 15
③ 17　④ 11　⑤ 10
⑥ 12　⑦ 16　⑧ 14

60쪽

① 15　② 9
③ 14　④ 12
⑤ 13　⑥ 17
⑦ 11　⑧ 8
⑨ 10　⑩ 16

61쪽

① 16　② 11
③ 17　④ 8
⑤ 15　⑥ 14
⑦ 11　⑧ 13
⑨ 12　⑩ 9

62쪽

① 8, 11, 14, 17
② 7, 10, 13, 16
③ 6, 9, 12, 15

63쪽

① 17　② 11
③ 8　④ 14
⑤ 13　⑥ 17

64쪽

① 15　② 13
③ 15　④ 12
⑤ 9　⑥ 14
⑦ 15　⑧ 17
⑨ 17　⑩ 18
⑪ 8　⑫ 12

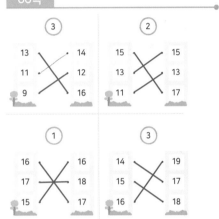

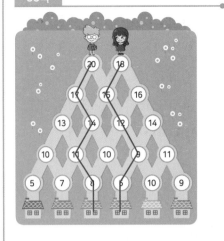

① 17 ② 11
③ 13 ④ 10
⑤ 14 ⑥ 12
⑦ 8   ⑧ 15
⑨ 16 ⑩ 9
⑪ 12 ⑫ 11
⑬ 14 ⑭ 15

$18 - 3 = \boxed{15}$ $\boxed{6}$
         -3 $= 3$
$\boxed{12} - 3 = \boxed{9}$

20
-3
$\boxed{17} - 3 = \boxed{14}$ $\boxed{11} - 3 = \boxed{8}$
                        $= 3$
                $\boxed{13} - 3 = \boxed{10}$
                        -3 $= 3$
         $19 - 3 = \boxed{16}$ $\boxed{7}$

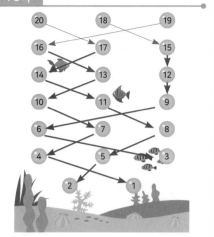
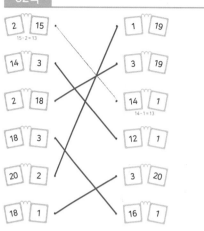

① 17
② 14 ③ 15
④ 13 ⑤ 8
⑥ 12 ⑦ 11
⑧ 16 ⑨ 9

① 15, 12, 13
② 16, 13, 10   ③ 15, 12, 9
④ 16, 19, 15   ⑤ 8, 11, 14

① 14
② 16 ③ 19
④ 11 ⑤ 16
⑥ 15 ⑦ 9
⑧ 9   ⑨ 13
⑩ 12 ⑪ 17

2 | 15   15 - 2 = 13   1 | 19
14 | 3   3 | 19
2 | 18   14 | 1   14 - 1 = 13
18 | 3   12 | 1
20 | 2   3 | 20
18 | 1   16 | 1

20 - 3 = 17   15 - 3 = 11
17 + 3 = 19   16 - 3 = 13
13 + 3 = 15   16 + 3 = 19
14 + 3 = 17   19 - 3 = 16
13 - 3 = 11   10 + 3 = 12
18 - 3 = 15   11 + 3 = 14

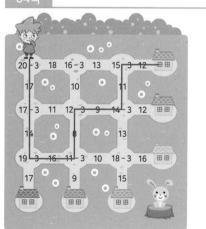

86쪽

① 17
② 14　③ 10
④ 15　⑤ 12
⑥ 13　⑦ 10
⑧ 12　⑨ 14
⑩ 11　⑪ 17

87쪽

① 16　② 12
③ 9　④ 15
⑤ 17　⑥ 8
⑦ 13　⑧ 10
⑨ 14　⑩ 11
⑪ 15　⑫ 9
⑬ 10　⑭ 16

88쪽

① 9, 10, 11　② 13, 14, 15
③ 17, 18, 19　④ 11, 12, 13
⑤ 12, 13, 14　⑥ 14, 15, 16
⑦ 10, 11, 12　⑧ 8, 9, 10
⑨ 16, 17, 18　⑩ 15, 16, 17

89쪽

① 13　② 17
③ 15　④ 9
⑤ 12　⑥ 14
⑦ 8　⑧ 16
⑨ 10　⑩ 11
⑪ 17　⑫ 15
⑬ 9　⑭ 12

90쪽

① 12　② 15
③ 14　④ 17
⑤ 10　⑥ 9
⑦ 16　⑧ 8
⑨ 11　⑩ 13

91쪽

① 14　② 8
③ 12　④ 16
⑤ 17　⑥ 11
⑦ 9　⑧ 15
⑨ 13　⑩ 10
⑪ 16　⑫ 17
⑬ 14　⑭ 9

92쪽

① 14
② 9　③ 16
④ 17　⑤ 12
⑥ 10　⑦ 13
⑧ 8　⑨ 15
⑩ 11　⑪ 17

93쪽

① 17　② 12
③ 10　④ 14
⑤ 11　⑥ 13
⑦ 16　⑧ 9
⑨ 8　⑩ 15
⑪ 17　⑫ 10
⑬ 14　⑭ 12

94쪽

① 14
② 16　③ 11
④ 8　⑤ 10
⑥ 13　⑦ 15
⑧ 12　⑨ 17

95쪽

① 13　② 16
③ 10　④ 8
⑤ 15　⑥ 17
⑦ 9　⑧ 11
⑨ 12　⑩ 14
⑪ 16　⑫ 10
⑬ 17　⑭ 9

총괄 테스트

01 3 큰 수를 구하세요.

15 → 3큰수 → 18

02 화살표 위에 쓰여 있는 수만큼 더한 수를 써 보세요.

13 → 16 → 18

14 → 15 → 18

03 □에 알맞은 수를 써넣으세요.

16 + 3 = 19

12 + 3 = 15

04 두 수를 서로 더한 값과 큰 수에서 작은 수를 뺀 값을 각각 구하세요.

14 + 3 = 17

14 - 3 = 11

05 3 작은 수를 구하세요.

8 → 3작은수 → 11

06 3 큰 수를 찾아 같은 모양을 그려 보세요.

12 13

14 16 15

14 15

18 16 17

07 □에 알맞은 수를 써넣으세요.

13 - 3 = 10

16 - 3 = 13

08 답을 이어서 계속해 보세요.

18 - 3 = 15 - 3 = 12

총괄 테스트

09 3 큰 수를 구하세요.

10 → 3큰수 → 13

10 3 큰 수를 잘못 구한 것을 찾아 바르게 고쳐 보세요.

13 → 16

17 → 19 20

15 → 18

11 □에 알맞은 수를 써넣으세요.

11 + 3 = 14

9 + 3 = 12

12 답을 이어서 계속해 보세요.

10 + 3 = 13 + 3 = 16

13 3 작은 수를 구하세요.

13 → 3작은수 → 16

14 3 작은 수를 찾아 같은 모양을 그려 보세요.

12 10 9 11 13

15 12 14 16 19

15 □에 알맞은 수를 써넣으세요.

20 - 3 = 17

18 - 3 = 15

16 거꾸로 3큰 수를 잘못 구한 것을 찾아 바르게 고쳐 보세요.

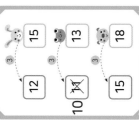

15 → 12

13 → 10 11

18 → 15

키즈 수학 전문가가 만든 연산 교재
원리셈

세분화된
원리 학습

다양한
유형의 연습

충분한
연습

성취도
확인

그 많은 문제를 풀고도 몰랐던

초등 사고력 수학의 원리 1
초등 사고력 수학의 전략 2

● 초등 사고력 수학의 원리 1

원리는 수학의 시작

● 초등 사고력 수학의 전략 2

문제해결은 수학의 끝

✓ **진정한 수학 실력은** 원리의 이해와 문제 해결 전략에서 나온다.

✓ **수학의 시작과 끝을** 제대로 알고 수학 실력 올리자!

✓ **재미있게 읽을 수 있는** 17년 초등 사고력 수학의 노하우

천종현수학연구소의 교재 흐름도

4세	5세	6세	7세	초1	

유아 자신감 수학 : 유아 수학 입문서
- 처음에는 엄마, 아빠와 함께, 나중에는 아이 스스로
- 개념의 이해부터 적용까지

유아 자신감 수학 만 3세 / 유아 자신감 수학 만 4세 / 유아 자신감 수학 만 5세

원리셈 : 기본 연산 학습서
- 매일 10분씩 원리로부터 실력까지 연산의 완성!!
- 다양한 형태의 문제와 충분한 연습으로 쉽고 재미있게

키즈 원리셈 5, 6세 / 키즈 원리셈 6, 7세 / 키즈 원리셈 예비 초등 7, 8세 / 초등 원리셈 초등1

TOP사고력 : 사고력 수학의 으뜸
- 수학적 직관력 / 문제 이해력 기르기
- 영역별 나선형식 반복 학습 구조

탑사고력 K 단계 / 탑사고력 P 단계 / 탑사고력 A 단계

초2	초3	초4	초5	초6

초등 원리셈 초등2 / 초등 원리셈 초등3 / 초등 원리셈 초등4 / 초등 원리셈 초등5 / 초등 원리셈 초등6

TOP사고력 : 사고력 수학의 으뜸
- 수학적 직관력 / 문제 이해력 기르기
- 영역별 나선형식 반복 학습 구조

탑사고력 A 단계 / 탑사고력 B 단계

초등 사고력 수학의 원리 및 전략
- 원리의 이해와 문제 해결 전략을 통한 진정한 실력 향상
- 재미있게 읽을 수 있는 초등 사고력 수학의 노하우

초등사고력 수학의 원리 / 초등사고력 수학의 전략